A marca FSC® é a garantia de que a madeira utilizada na fabricação do papel deste livro provém de florestas que foram gerenciadas de maneira ambientalmente correta, socialmente justa e economicamente viável, além de outras fontes de origem controlada.

o país do carnaval

COLEÇÃO JORGE AMADO

Conselho editorial

Alberto da Costa e Silva
Lilia Moritz Schwarcz

Coordenação editorial

Thyago Nogueira

O país do Carnaval, 1931
Cacau, 1933
Suor, 1934
Jubiabá, 1935
Mar morto, 1936
Capitães da Areia, 1937
ABC de Castro Alves, 1941
O Cavaleiro da Esperança, 1942
Terras do sem-fim, 1943
São Jorge dos Ilhéus, 1944
Bahia de Todos-os-Santos, 1945
Seara vermelha, 1946
O amor do soldado, 1947
Os subterrâneos da liberdade
    Os ásperos tempos, 1954
    Agonia da noite, 1954
    A luz no túnel, 1954
Gabriela, cravo e canela, 1958
De como o mulato Porciúncula descarregou seu defunto, 1959
Os velhos marinheiros ou O capitão-de-longo-curso, 1961
A morte e a morte de Quincas Berro Dágua, 1961
O compadre de Ogum, 1964
Os pastores da noite, 1964
A ratinha branca de Pé-de-vento e A bagagem de Otália, 1964
As mortes e o triunfo de Rosalinda, 1965
Dona Flor e seus dois maridos, 1966
Tenda dos Milagres, 1969
Tereza Batista cansada de guerra, 1972
O gato malhado e a andorinha Sinhá, 1976
Tieta do Agreste, 1977
Farda, fardão, camisola de dormir, 1979
O milagre dos pássaros, 1979
O menino grapiúna, 1981
A bola e o goleiro, 1984
Tocaia Grande, 1984
O sumiço da santa, 1988
Navegação de cabotagem, 1992
A descoberta da América pelos turcos, 1992
Hora da Guerra, 2008
Toda a saudade do mundo, 2012

o país do carnaval

JORGE AMADO

Posfácio de José Castello

4ª reimpressão

Copyright © 2011 by Grapiúna Produções Artísticas Ltda.
1ª edição, Schmidt Editor, Rio de Janeiro, 1931

Grafia atualizada segundo o Acordo Ortográfico da Língua Portuguesa de 1990, que entrou em vigor no Brasil em 2009.

Consultoria da coleção Ilana Seltzer Goldstein

Projeto gráfico Kiko Farkas e Mateus Valadares/ Máquina Estúdio

Pesquisa iconográfica Bete Capinan

Imagens de capa © Pierre Verger/ Fundação Pierre Verger (capa); © Luiza Chiodi/ Companhia Fabril Mascarenhas (chita); © Acervo Fundação Casa de Jorge Amado (orelha). Todos os esforços foram feitos para determinar a origem das imagens deste livro. Nem sempre isso foi possível. Teremos prazer em creditar as fontes, caso se manifestem.

Cronologia Ilana Seltzer Goldstein e Carla Delgado de Souza

Preparação Leny Cordeiro

Assistência editorial Cristina Yamazaki

Revisão Luciana Baraldi e Carmen S. da Costa

Texto estabelecido a partir dos originais revistos pelo autor. Os personagens e as situações desta obra são reais apenas no universo da ficção; não se referem a pessoas e fatos concretos, e não emitem opinião sobre eles.

Dados Internacionais de Catalogação na Publicação (CIP)
(Câmara Brasileira do Livro, SP, Brasil)

> Amado, Jorge, 1912-2001.
> O país do carnaval / Jorge Amado ; posfácio de José Castello. — São Paulo : Companhia das Letras, 2011.
>
> ISBN 978-85-359-1798-7
>
> 1. Ficção brasileira I. Castello, José II. Título.

10-13577 CDD-869.93

Índice para catálogo sistemático:
1. Ficção: Literatura brasileira 869.93

Diagramação Spress
Papel Pólen Bold
Impressão Lis Gráfica

[2023]
Todos os direitos desta edição reservados à
EDITORA SCHWARCZ S.A.
Rua Bandeira Paulista, 702, cj. 32
04532-002 — São Paulo — SP
Telefone: (11) 3707-3500
www.companhiadasletras.com.br
www.blogdacompanhia.com.br
facebook.com/companhiadasletras
instagram.com/companhiadasletras
twitter.com/cialetras

o país do carnaval

Meu caro Jorge Amado:

Li rapidamente o seu livro. Passei com os seus personagens pouco tempo. Mas assim mesmo tempo bastante para reconhecê-los todos, um por um. Para sofrer com eles os seus sofrimentos, que são tantos, e se originam de um só: ausência de um grande sofrimento.

Seu livro deve ser visto de uma maneira diversa da que se olham as obras de ficção. É, antes de tudo, um forte documento do que somos hoje, nós, mocidade brasileira, mocidade sem solução, fechada em si mesma, perdida numa terra que nos dá a todo o momento a impressão de que sobramos, de que somos demais.

Seu livro acordou em mim velhas revoltas já sufocadas e recalcadas contra a vida e a terra em que vivemos. Paulo Rigger, seu personagem, não é um cerebral, não é um filho do Ocidente saturado e exasperado de cultura, é apenas um pobre moço brasileiro, como eu, como você, como todos nós.

Nós estamos vivendo o momento do tédio. As gerações se sucedem vertiginosamente. E vêm árdegas, querendo realizar alguma coisa, manter acesa a lâmpada do espírito. Mas em pouco o entusiasmo não está mais. Nenhum de nós dura tempo suficiente para se realizar. E não deixamos nem sequer um traço da nossa passagem. Eu, pouco mais velho que você, já me sinto muito distante de tudo, num desinteresse sempre crescente, pelo que alimentou o meu gosto pela vida. Não temos frescura, nem nos podemos repousar nos bons silêncios. Viemos para gritar que existimos, diante de uma nação adormecida e indiferente. Cansamos porém logo. E assistimos com melancolia à vinda dos que ainda acreditam que é possível gritar, que é útil gritar.

E é essa a nossa lei e o nosso ritmo.

A vida do espírito, o amor pelas letras é um heroísmo inútil entre nós. Só os sacrificados, os que se inutilizam e se despedaçam é que sabem o que é isto. Mas, mesmo assim é ainda essa inutilidade que nos seduz, ou seduziu. Todo o amor humano é inútil para si próprio. E sua essência está mesmo nessa inutilidade.

O país em que nascemos pesa sobre nós. É bastante olhar o Brasil de hoje, no seu aspecto político, por exemplo, para termos uma ideia do drama que se está passando aos nossos olhos. O caos de todos os lados. E perdidas no caos algumas ameaças terríveis. O mais é apenas inexistência e sono. A mocidade não tem um sentido, não tem uma direção, não tem uma causa. A única aspiração da nossa mocidade é a velhice. Poucos apenas nela trabalham pela nossa libertação. Poucos apenas são os que resistem procurando pensar e criar, onde naturalmente não existe nem pensamento nem criação. Você, meu amigo, é um desses marcados para essa desgraça, para essa dilaceração contínua e cuja recompensa é saber que tudo que está diante de nós não apodrece porque alguns poucos abrem as janelas do espírito de quando em vez, e são sacrificados por esse gesto.

Seu livro tem graves defeitos. Seu livro tem grande importância porque como você mesmo diz seus defeitos constituem o seu maior motivo de orgulho. Não sei de outro romance nosso que trouxesse à tona como o seu, na indecisão das suas linhas de composição, tal complexidade de problemas. Seus personagens estão. E procuram. Não procuram apenas o sentido da pátria, da terra, mas procuram o sentido de si próprios. O país é apenas um ponto de referência. A pátria é sentida porque está ausente. O seu livro é balbuciante ainda, mas é uma obra inicial. Os homens que se movem dentro dele são homens e não personagens-símbolos. O que você quis dizer e por vezes não o conseguiu inteiramente, nós o podemos saber ainda por você próprio e pela nossa experiência.

Em geral todos os romances brasileiros são cenários por vezes belos e verdadeiros mas são sempre cenários. E será exatamente deficiência de cenário que verificamos n'*O país do Carnaval*. Qualidade e defeito do seu livro. Qualidade que eu amo.

Da inquietação permanente dos seus personagens, que não encontram nem repouso nem finalidade, se desenha naturalmente o ambiente moral da nossa terra e dos nossos dias. Não temos fundamentos. Não temos força para levantar a nação do estado de mediocridade perpétua em que ela se encontra. A grandeza do território e a ausência de uma raça com nitidez, com marca, a ausência de um povo para edificar e aproveitar essa herança do acaso, já nos está afligindo. É preciso, meu amigo, repetir sempre o nosso desespero pela nacionalidade, que o seu personagem, depois de tentar se integrar nela, abandona. Só o entusiasmo do desespero constrói.

Tudo o que lhe estou dizendo eu o estou sentindo intensamente. Mas que represento eu, que representamos nós? Somos apenas uns míseros individualistas e cada um, a rigor, fala por si próprio, exprime o seu próprio desencontro. Mas o seu livro confirma tudo o que estou dizendo, o livro de Otávio de Faria, *Machiavel e o Brasil*, bem representativo da geração revoltada que vem surgindo e de que você faz parte, o confirma também. E o mundo o que é para nós senão a nossa visão dele?

Nós temos tédio e desespero em nosso país. E foi essa a realidade que encontrei no seu livro e que me comoveu. É bem possível que o tédio esteja em nós e não no país. Que se há de fazer porém? O movimento modernista iniciado por Graça Aranha, e que Mário de Andrade e outros mais sistematizaram foi o movimento de afirmação do espírito. Mas o movimento morreu e não nos diz hoje mais nada. Era errado desde o início, na direção que tomou. Eu vim desse movimento inteiramente. Você já não o conheceu, porque pode analisá-lo. E só por isso, por esse pequenino nada, apartados por pouquíssimos anos, não estamos na mesma geração. Há entre nós o silêncio desintegrador. O silêncio que não permite vivamos juntos as mesmas tragédias. Só Deus sabe o que sofremos de imponderável e de vago.

Seu personagem principal, que contém todos os outros, viu uma luz, quando ia acabar. No alto da montanha Cristo se iluminou para ele.

Cristo é a chave e é a medida. Felizes os que veem por acaso essa iluminação.

Pouco importa o que se está processando cá embaixo de tolo e de inútil. Estou me lembrando de Rimbaud: *"Pendant que les fonds publics s'écoulent en fêtes de fraternité, il sonne une cloche de feu rose dans les nuages"*.

Um abraço do
Augusto Frederico Schmidt

EXPLICAÇÃO

DIANTE DA GRANDIOSIDADE DA NATUREZA, o brasileiro pensou que isto aqui fosse um circo. E virou palhaço...

Este livro pretende contar a história de um homem que, tendo vivido na velha França muito tempo, voltou à pátria disposto a encontrar o sentido da sua vida.

Conta a sua luta, o seu fracasso. Conta a luta dos seus amigos, rapazes de talento, que falharam na existência.

Este livro é um grito. Quase um pedido de socorro. É toda uma geração insatisfeita que procura a sua finalidade.

Nós já começamos a luta contra a dúvida. A geração que chega combate as atitudes céticas.

Este livro narra a vida de homens céticos que, entretanto, procuram uma finalidade. Tentaram alcançá-la. Uns no amor, outros na religião. O fracasso das tentativas não é prova da sua inutilidade.

Este livro pretende ser humano. Por mais que pareçam artificiais os seus heróis, eles vivem. Porque, procurando bem, até homens inteligentes se encontram no Brasil.

Mais do que humano, este livro tem veleidades de humanitário. Cristo disse que se devia amar o próximo.

Acho que se deve ter amor aos semelhantes e uma grande indiferença, feita de desprezo e perdão, aos que não nos são semelhantes...

Eu não tenho veleidades literárias. Não pretendo fazer público com este romance. Não sou pornógrafo, nem jornalista de sensação.

Este livro tem um cenário triste: o Brasil. Natureza grandiosa que faz o homem de uma pequenez clássica.

A sátira, no Brasil, só a praticam os papagaios.

No Norte, terra da promissão, há uma grande confusão de raças e de sentimentos. É a formação do povo. E dessa confusão está saindo uma raça doente e indolente. E todo dia a natureza surra, com o chicote do sol, o nortista tragicamente vencido.

Este livro é como o Brasil de hoje. Sem um princípio filosófico, sem se bater por um partido. Nem comunista, nem fascista. Nem materialista, nem espiritualista. Dirão talvez que assim fiz para agradar toda crítica, por mais diverso que fosse o seu modo de pensar. Mas afirmo que tal não se deu. Não me preocupa o que diga do meu livro a crítica. Este romance relata apenas a vida de homens que seguiram os mais diversos caminhos em busca do sentido da existência. Não posso bater-me por uma causa. Eu ainda sou um que procura...

Eu quisera intitular este romance de *Os homens que eram infelizes sem saber por quê*, mas a gente tem vergonha de certas confissões. E fica-se vivendo a tragédia de fazer ironias.

Os defeitos deste livro são a minha maior honra.

Jorge Amado
1930

A meu Pai e à memória de
João Evangelista de Oliveira.

1

ENTRE O AZUL DO CÉU E O VERDE DO MAR, o navio ruma o verde-amarelo pátrio.

Três horas da tarde. Ar parado. Calor.

No tombadilho, entre franceses, ingleses, argentinos e ianques está todo o Brasil (evoé, Carnaval!).

Fazendeiros ricos de volta da Europa, onde correram igrejas e museus. Diplomatas a dar ideia de manequins de uma casa de modas masculinas... Políticos imbecis e gordos, suas magras e imbecis filhas e seus imbecis filhos doutores.

Lá no fundo, namorando o mistério das águas, uma francesa linda como as coisas caras, aventureira viajada, da qual se dizia conhecer todos os países e todas as raças, o que equivale a dizer que conhecia toda espécie de homem, tolera, com um sorriso condescendente, o galanteio juliodantesco de uma dúzia de filhos-família brasileiros e argentinos:

— A senhorita é linda...

— Minha vida pela sua vida...

— Faça um sinal e me atirarei n'água!

— Eu queria que o navio naufragasse para poder provar quanto a amo...

Tudo isso era dito em mau francês, num mau francês de causar inveja aos rapazes que leem Dekobra e têm por Tiradentes uma grande paixão patriótica.

Toda essa gente sua muito debaixo da elegância das suas roupas quentes, feitas em Londres e Paris a preços elevados.

Toda a gente, menos a francesa, que traja um vestido simples de musselina branca. É, em verdade, bela. Olhos verdes como o mar e pele alva. Não admira que aqueles tropicais brasileiros e argentinos gastem com ela a sua retórica, "tão precisa à pátria".

Adiante, um senador, um fazendeiro, um bispo, um diplomata e a senhora do senador conversam na boa paz burguesa dos que têm o reino da terra e a certeza de comprarem o do céu.

— Sim — diz o fazendeiro —, foi regular a safra. Mas os preços...

— Ora, coronel, o senhor quer dizer a mim?... Mesmo pelo preço em que está, o café continua a dar um lucro fabuloso... É a riqueza de São Paulo e a do Brasil.

— Mesmo porque o Brasil é São Paulo! — fez a senhora do senador, bairrista de irritar.

— Oh, minha senhora! Perdoe-me se discordo de Vossa Excelência mas...

Era o diplomata que falava. Primeiro-secretário de Embaixada em Paris, ainda estava inédito o seu primeiro serviço à pátria. Nascera na Bahia, e trazia no sangue e no cabelo a marca dos deboches de avôs portugueses com avós africanas.

— ... mas há outros grandes estados... Olhe a Bahia, minha senhora. A Bahia, veja Vossa Excelência, produz tudo... Cacau. Fumo. Feijão. E produz homens, minha senhora, grandes gênios. Rui Barbosa era baiano...

— Mas hoje, doutor...

— Oh! minha senhora, não diga... Ainda hoje grandes talentos...

E o bispo, conciliador:

— O doutor mesmo é uma prova...

— Amabilidade do senhor bispo... A Igreja sempre caridosa...

O senador, com o prestígio que lhe dava a posição, resumiu toda a conversa:

— É o país de mais futuro do mundo!

— Perfeitamente! — falou um rapaz que chegara no momento. — O senhor acaba de definir o Brasil. (O senador sorriu baboso.) O Brasil é o país verde por excelência. Futuroso, esperançoso... Nunca passou disso... Vocês, brasileiros, velhos que já foram e rapazes que são a esperança da pátria, sonham o futuro. "Dentro de cem anos o Brasil será o primeiro país do mundo." Garanto que aquele detestável cronista Pero Vaz de Caminha teve essa mesma frase ao achar Cabral, por um acaso, o país que viera expressamente descobrir.

— Não! — protestou o diplomata, elevando num gesto oratório a mão ao peito. — Hoje, todo estrangeiro conhece, graças ao nosso corpo diplomático, sem modéstia, o grande, o portentoso Brasil!

— Entretanto, aquela francesinha que conhece o mundo todo, que já teve casa de *rendez-vous* em Pequim, já foi amante de pretos na Colônia do Cabo e ganhou dinheiro em Monte Carlo, julga que viaja para um país chamado Buenos Aires, que tem por capital o Brasil, uma cidade onde a população anda de tanga. E posso lhe afirmar, senhor bispo, que ela vai até lá exatamente para poder andar de tanga, pois é primitivista.

— Ela é imoral, isto sim.

— Vai ter uma decepção, coitada!

— Mas, doutor Rigger, pelo menos do ponto de vista religioso, o Brasil tem progredido muito. Hoje...

— Hoje o feitiço domina. No Norte, senhor bispo, a religião é uma mistura de fetichismo, espiritismo e catolicismo. Aliás, eu não acredito que Cristo haja pregado religiões. Cristo foi apenas um romântico judeu revoltoso. Os senhores, padres e papas, é que fizeram a religião... Mas se o senhor pensa que essa religião domina o Brasil, está enganado. Há uma falsificação africana dessa religião. A macumba, no Norte, substitui a Igreja, que, no Sul, é substituída pelas lojas espíritas. No Brasil a questão de religião é uma questão de medo.

A senhora do senador, escandalizada, benzia-se. O diplomata sorria por vaidade. O bispo, que era inteligente, quis protestar. Não houve, porém, tempo. Um rapaz de bordo agitava uma sineta enorme chamando para o lanche.

E todos obedeceram a Sua Majestade, o Estômago.

No tombadilho, Paulo Rigger abandonou-se aos seus pensamentos. Estava de volta ao Brasil depois de sete anos de ausência. Ainda estudante de ginásio morrera-lhe o pai, riquíssimo fazendeiro de cacau no sul do estado da Bahia. A última vontade do velho Rigger foi que mandassem o seu rapaz formar-se na Europa. E, terminado o curso ginasial, Paulo seguiu para Paris em busca de um anel de bacharel. O velho Rigger queria o filho formado. Mas já estava muito banal a formatura no Brasil. Só poderia fazer sucesso um doutor da Europa.

Paulo Rigger, em Paris, como é natural, fez tudo, menos estudar Direito. Ao formar-se era um *blasé*, contaminado de toda a literatura de antes da guerra, um gastador de espírito, que tinha amigos entre os intelectuais e frequentava as rodas jornalísticas, fazendo frases, discutindo, sempre em oposição.

A *atitude oposta* era sempre a sua atitude. Não chegara, muito francês que era, a fazer uma base para a sua vida. Não tinha filosofias e fazia blagues acerca do espírito de seriedade da geração que surgia.

Dizia que o homem de talento não precisa de filosofia.

Aos vinte e seis anos, era o tipo do cerebral, quase indiferente, espectador da vida, tendo perdido há muito o sentido de Deus e não tendo achado o sentido de pátria.

Frio, não se emocionava. Tinha prazeres diferentes: amava ser contra as ideias dos seus vizinhos de mesa e gostava de estudar almas.

Correra toda Paris, dos mais aristocráticos salões aos mais

sórdidos cabarés, numa volúpia de escalpelar as almas, pôr-lhes à mostra sentimentos, estudá-las...

Assim, pensava, no dia em que houvesse "um caso" na sua vida, estaria preparado para enfrentá-lo, estudá-lo, dissecá-lo. Usava monóculo porque diziam que o monóculo já havia caído da moda. Aprendera em Paris a vestir-se com muita elegância e a satisfazer todos os seus desejos.

Sibarita, tinha pelos seus instintos uma quase adoração. Conhecia, assim, todos os vícios. No seu olhar cansado, muito triste, parecia viver a tragédia do homem que esgotou todas as volúpias e não se satisfez.

Nos seus lábios finos bailava sempre um sorriso mau, de escárnio, que irritava.

Já descrera da felicidade. No fundo, entretanto, Paulo Rigger sentia que era um insatisfeito. Compreendia que faltava qualquer coisa na sua vida. O quê? Não o sabia. Isso torturava-o. E dedicava toda a sua vida à procura do fim. "Sim, murmurava no tombadilho, olhando as ondas, porque toda vida deve ter, necessariamente, um fim... Qual?"

Mas o mar, indiferente, não lhe respondia. O sol que morria desenhava no horizonte paisagens berrantes. O sol foi o primeiro cubista do mundo...

Ao jantar, a francesinha sorria-lhe. Havia no seu sorriso uma promessa enlouquecedora de volúpias incríveis. E Paulo Rigger ficou a idealizá-la nua. Devia ser linda... Aquela mulher, tão jovem e tão conhecedora da vida, devia ser uma requintada. E jurou conhecê-la.

No tombadilho, ela sorria ingênua do ingênuo brinquedo das ondas.

Paulo Rigger aproximou-se.

— *Mademoiselle*...

— *Mademoiselle*, não. Julie, sim.

— Ah, Julie, você é adorável!

— Só isso que você me diz? Isso me disseram todos aqueles rapazes que me galanteavam há pouco. Eu pensei que você tivesse qualquer coisa mais nova para me dizer...

— Sim, tenho. Quero lhe dizer que os seus olhos prometem coisas absurdas, mas eu conheço todas as coisas absurdas e duvido muito que você me dê qualquer coisa nova.

— Hoje à uma hora. A porta do meu camarote estará aberta... Esperá-lo-ei.

No seu camarote, Paulo Rigger pensava se devia ir ao encontro de Julie. Uma grande lassidão invadia-lhe os membros. Pensou em Julie. E teve medo dos seus olhos. Não, não iria. Aquela mulher era capaz de se agarrar a ele como uma sarna, no Brasil. E, demais, ela não passava de uma rameira conhecida. Uma mulher que amava por dinheiro, sem amor. Que lhe poderia dar de novo? Prazer, ele conhecia muito. Carne... Mas o amor talvez não fosse somente carne... Talvez fosse alguma coisa mais... Essa outra coisa, ele não conhecia. Afirmava até que ela não existia. Existisse ou não, a francesinha não lhe poderia dar. Daria somente o sexo... E do mesmo modo de sempre. Bolas! Não iria lá...

E Julie esperou por toda a noite, nua, a sonhar volúpias incríveis. Depois, chorou de raiva, mordendo o travesseiro... Afinal, xingava-o, era um animal. Não sabia que ela reservara para ele as carícias que nunca vendera a ninguém... Imbecil!

E Paulo Rigger sonhava que tinha uma namorada romântica que lia Henri Ardel e tocava valsas muito sentimentais ao piano.

No outro dia, o grito da descoberta:

— Terra! Terra!

Lá longe, o país do Carnaval.

2

PAULO RIGGER, ENCOSTADO À JANELA DO HOTEL, lia os jornais da manhã. Estava no Rio de Janeiro. Sentia, entretanto, que a capital da República não era Brasil. Tinha muito das grandes cidades do universo. E essas cidades não são cidades de países, são cidades do mundo. Paris, Londres, Nova York, Tóquio e Rio de Janeiro pertencem a todos os países e a todas as raças. E Paulo Rigger tinha desejos de ir bem para o interior, para o Pará e para Mato Grosso, a sentir de perto a alma desse povo que, afinal, era o seu povo. O seu povo... Não, o seu povo não era aquele. Toda a sua formação francesa bradava-lhe que o seu povo estava na Europa. Lembrava-se: em Paris, os brasileiros falavam mal da sua terra. Muito mal mesmo. Ele, por contradição, sempre falara bem. A bordo, os passageiros saudosos elogiavam o Brasil. E ele falara mal. Agora, queria fazer uma ideia do Brasil. Às vezes, na Europa, caía a sua máscara de cerebral e pensava em quando voltasse à pátria. Meter-se-ia na política. Fundaria um jornal. Elevaria o nome do Brasil...

Pilheriavam os amigos com ele e com o seu patriotismo de momento. Desculpava-se dizendo que aquilo tudo era egoísmo. Queria elevar o nome da pátria para assim elevar o dele, Paulo Rigger. Um meio... No fundo, o egoísmo predominava...

Os amigos concordavam. A pátria não era com certeza o fim...

Os jornais só falavam na campanha política que agitava o país. De um lado, o então presidente da República que queria, apoiado por um certo número de estados, impor um candidato de sua confiança para sucedê-lo no poder. De outro lado, os estados oposicionistas que queriam eleger um presidente seu.

Paulo Rigger leu um jornal: "Ainda há brasileiros que sabem morrer pela liberdade". Essas palavras sobressaíam em grandes caracteres. Era um trecho de discurso de um deputado da oposição.

Rigger riu:

— Que morte estúpida, a morte em luta pela liberdade da pátria...

O criado do hotel, que entrara com o café, murmurou:

— Esse sujeito é prestista...

E ao servir-lhe (soava-lhe aos ouvidos o amassar das notas da gorjeta) gabou, para espanto de Rigger, as virtudes do dr. Júlio Prestes.

Paulo Rigger andava na rua, ao léu. Sentia-se um estranho na sua pátria. Achava tudo diferente... Se aquilo lhe acontecia no Rio, que seria na Bahia, para onde iria residir em companhia da sua velha mãe?... Poderia, conseguiria viver? E tinha uma grande nostalgia de Paris...

Teria que viver burguesmente... Não teria mais camaradas intelectuais... Ficaria com o espírito obtuso... Talvez se casasse... Talvez fosse mesmo morar na fazenda... Que fim para ele, degenerado, viciado, doente de civilização... Enfim...

Paulo Rigger parou em frente de uma casa de discos. Uma marcha bem cantada enchia o espaço com uma música estranha, nostálgica, cheia de um sentimento que Paulo não compreendia.

A marcha rugia:

Essa mulher há muito tempo me provoca...

Dá nela...
Dá nela...

— Isso deve ser a música brasileira — pensou Rigger. — A grande música do Brasil.

E ficou a escutar enlevado pela barbaria do ritmo. A alma do povo devia estar ali... E como era diferente da sua... Ele não bateria nunca numa mulher. A música bradava:

Dá nela...
Dá nela...

E ele seguiu. Adiante encontrou o diplomata.

— Oh, doutor Rigger! Passeando, não é?

— É verdade. Conhecendo o Rio...

— Nunca tinha estado na metrópole, doutor?

— Não. Quando fui para a Europa, embarquei na Bahia. Agora é que voltei por aqui de propósito, para conhecer o Rio...

— E tem gostado? Naturalmente que sim. Eu calculo. A natureza, hein, doutor? A natureza maravilhosa... A coisa mais bela do mundo.

— Mas eu acho que a natureza faz um enorme mal ao Brasil. O homem daqui parece preguiçoso, indolente... Isso deve ser a natureza... Tão majestosa, faz mal. Vence, esmaga.

— É. Pode ser... Mas nós temos tido grandes homens, doutor. Rui Barbosa...

Paulo Rigger já lera Rui Barbosa. Não lhe agradara... Horrivelmente retórico... Não compreendia como se adorava aquele homem... E, demais, não tinha ideias... Era de um patriotismo lorpa... E estafante. Não, ele não ia com o tal Rui Barbosa.

O diplomata, José Augusto da Silva Reis, escandalizou-se. Rui era genial... genial... genialíssimo... Em França mesmo adoravam-no.

— Em França? Pode ser...

E Direito? O Rui sabia Direito como pouca gente. E a figura que fizera em Haia?

— Não é preciso talento para se saber Direito. Basta memória...
Encontraram um baiano. Deputado pelo sul do estado. Na cabeça pequena e nas orelhas grandes mostrava ser um tarado da imbecilidade.

José Augusto fez as apresentações:

— Doutor Antônio Ramos, deputado pela Bahia. Doutor Paulo Rigger, que acaba de chegar da França. É filho do velho Godofredo...

— Oh, muito prazer em conhecê-lo... Somos patrícios...

— Somos três patrícios — disse José Augusto.

Sentaram-se num bar a tomar um aperitivo. Em honra da Bahia, brindou o deputado. A conversa girou sobre a campanha da sucessão presidencial. O deputado era prestista.

— Ah! Os gaúchos querem é o poder... Somente o poder... Não têm pátria nem nada.

— Tem razão, doutor, tem toda a razão... — apoiou José Augusto. Depois, perguntou baixo ao deputado: — E os negócios, doutor? Sempre umas comidinhas, não é?

— Às vezes... Agora a coisa está ruim, nem vale a pena ser deputado... Mas, no momento, todas as minhas forças estão voltadas para a pátria. Irei até fazer um discurso, contra os oposicionistas... Devem ir assistir... Será um notável discurso. — E, despedindo-se: — Doutor Rigger, apareça. Quero apresentá-lo à minha esposa. Ela adora Paris, gostará de conhecê-lo. Uma santa, a minha esposa...

Paulo Rigger ficou a olhar o deputado, na rua, a cumprimentar para os lados numa pose de dono do mundo e da felicidade.

José Augusto explicava:

— Aquilo era um imbecil... Fazia política porque casara com a filha de um sujeito de grande influência. Era apenas o genro do senhor fulano. Em paga disso, deixava a mulher fazer o que bem entendesse... E ela não valia nada. Uma falta de vergonha...

— Os deputados são todos assim?

— Todos. Uma corja. Uns ladrões... Não têm o verdadeiro patriotismo. É um venha a mim horrível. O que o Brasil precisa é de uma revolução. Fui sempre revolucionário. A revolução cortaria a cabeça a um grande número de políticos, pagaria a dívida externa e o país entraria no caminho da prosperidade...

— Mas, ao que me parece, os políticos da oposição são iguais a estes.

— Psiu! São iguais! Mas eu já sei quem será ministro do Exterior: um velho amigo meu... E eu terei, com certeza, uma legação. Ah, terei! Revolução, revolução... Leu o discurso do líder oposicionista, hoje, nos jornais? "Ainda há brasileiros que sabem morrer pela liberdade da pátria." Parece até Rui... Eu sou destes brasileiros...

— Pois eu acho tolo morrer pela liberdade... Tolíssimo...

— É que o senhor não é patriota... Morrer pela pátria e pela... legação.

Riu cinicamente. Paulo Rigger riu também, murmurando:

— Egoísmo, deus do mundo, deus do mundo...

Garotos passavam, apregoando os jornais da tarde: "*A Noite*, olha o *Globo*, *Diário*"... "*Diário*, *Noite*, *Globo*." "O discurso do deputado Francisco Ribeiro. A campanha presidencial. O Carnaval que vem aí... O Carnaval... *Noite*..."

Na rua a multidão acotovelava-se numa grande alegria. Entulhava as casas de negócios comprando fazendas e enfeites. Era o Carnaval que se aproximava.

Rigger disse:

— O Brasil é o país do Carnaval.

José Augusto acrescentou:

— E dos grandes homens! E dos grandes homens...

Sorriu patrioticamente, pagou a despesa e despediu-se para ir dar ao deputado Francisco Ribeiro, que passava na ocasião, os seus parabéns pelo "notável discurso".

— País dos grandes homens... dos grandes homens... e do Carnaval...

No hall do hotel, Paulo Rigger teve uma surpresa. Julie lá estava, lendo uma revista. Quis passar rápido sem cumprimentá-la, mas ela o viu. Chamou-o.

— Estou muito zangada com você...

— Estive doente. Passei mal a noite... Não fui por isso. Desculpe-me.

— Desculpo-o, mas aviso-lhe que não acredito. Agora, jantemos juntos...

Jantaram juntos. Mais do que isso, dormiram juntos. E Paulo Rigger ficou preso a Julie. Aquela mulher toda sexo, toda desejo, prendeu-o. Disse a si mesmo que queria conhecê-la bem, estudar-lhe a alma. E ficou a viver na alvura dos seus braços, numa paixão louca.

Empregavam ambos esforços enormes para darem qualquer coisa nova um ao outro. Esses dois viciados amavam-se furiosamente. Combinaram que ela iria com ele para a Bahia, onde viveriam a sua paixão.

— Ama-me? — perguntou-lhe um dia.

— Amo...

— Como a todos os outros, não é?

— Você tem ciúmes? Que engraçado...

Não. Ele não tinha ciúmes, mas queria-a só para si. Que ela não fosse mais de pessoa alguma. Só dele... Inteiramente.

— Só de você... Inteiramente.

Ele botou na vitrola um disco de que gostava muito. E a vitrola cantou:

... numa casa de caboco,
um é pouco,
dois é bão, três é demais...

Explicou-lhe o que queria dizer aquela música brasileira.

— Desconfia de mim?

— Não — sorriu ele, triste. — Desconfio de mim...

Uma noite, quando saiu para admirar a cidade, um barulho ensurdecedor espantou-o. Então notou que as ruas estavam cheias de povo. Automóveis passavam, carregando moças fantasiadas. Loucura geral...

Paulo Rigger compreendeu que era o sábado de Carnaval. Tomou um carro. E começou a rodar atrás de um auto de moças. Eram as virtuosas filhas de um moralista exaltado.

Rigger jogou na mais bonita delas um pouco de lança-perfume. O seio molhado parecia querer pular fora da blusa. Ela gargalhou histérica.

Foram dançar, depois. E o aperto da sala e a dança que os juntava fazia-a desfalecer. Beijou-a muito. Apalpou-a muito. E notou que todos se beijavam e todos se apalpavam. Era o Carnaval... Vitória de todo o Instinto, reino da carne...

Paulo Rigger gritou:

— Viva o Carnaval!

E a sala inteira:

— Viva o Carnaval!

E a virtuosa senhorita apertou-se mais a ele.

Quando Paulo Rigger saiu, um grupo de mulatas sambava na rua. Cor de canela, seio quase à mostra, requebravam-se voluptuosamente, num delírio. Paulo viu ali todo o sentimento da raça. Viu-se integrado no seu povo. Caiu no samba, a berrar:

— Dá nela... Dá nela...

Uma mulata gorda deu-lhe uma umbigada. Agarraram-se a dançar no passeio. Até os sujeitos que tocavam violão sambavam numa alegria doente de quem só tem três dias de liberdade.

Os lábios da mulata entraram nos lábios de Paulo Rigger.

Ele pensava em gritar: "Viva o Brasil! Viva o Brasil!". Sentia-se integrado na alma do povo e não pensou que aquilo era somente durante o Carnaval quando todos, como ele fizera durante toda a sua vida, se entregavam aos instintos e faziam da Carne o deus da humanidade...

Quando chegou ao hotel, clareava o dia. A natureza toda acordava como quem não tinha estado na farra da noite. No quarto não encontrou Julie. Saíra, naturalmente. Fora para o Carnaval. Procurou rir. Ora, deixá-la... Afinal, ela era apenas uma mulher com quem andara. Deixá-la...

Mas, diabo, aquilo doía-lhe. Doía-lhe pensar que Julie estivesse com outro, na cama. Não. Não podia ser... Revoltava-se contra si próprio. Não podia ser, por quê? Era. Ela estava com outro... Com outro, na cama... E que tinha ele com isso... Não a amava... Não a amaria mesmo? Não, pensava, desejava-a somente... Mas o amor era a posse... Se ele a desejava é porque a amava... Amava, sim, aquela mulher viciada que tinha gostos pervertidos. E ela, agora, devia estar com outro, talvez... E dormindo, quem sabe? Ela naturalmente não gostava dele.

O quarto parecia-lhe vazio sem ela... O leito, sem o seu corpo alvo, parecia-lhe insuportável...

José Augusto apresentou-o, dias depois, a um escritor católico. Era o líder do catolicismo na sua terra. Revelava na conversa uma sinceridade que admirava Paulo. Pediu a Rigger uma colaboração para a sua revista. Queria a impressão de Rigger sobre a raça. Paulo prometeu-lhe. E dias depois dava-lhe o "Poema da mulata desconhecida":

Eu canto a mulata dos freges
de São Sebastião do Rio de Janeiro...
A mulata cor de canela,
que tem tradições,
que tem vaidade,
que tem bondade,
(essa bondade
que faz com que ela abra
as suas coxas morenas,
fortes,

serenas,
para a satisfação dos instintos insatisfeitos
dos poetas pobres
e dos estudantes vagabundos).

É entre as suas coxas sadias
que repousa o futuro da Pátria.
Daí sairá uma raça forte,
triste,
burra,
indomável,
mas profundamente grande,
porque é grandemente natural,
toda da sensualidade.

Por isso, cheirosa mulata
do meu Brasil africano
(o Brasil é um pedaço d'África,
que imigrou para a América),
nunca deixes de abrir as coxas
no instinto insatisfeito
dos poetas pobres
e dos estudantes vagabundos,
nessas noites mornas do Brasil,
quando há muitas estrelas no céu
e muito desejo na terra.

O escritor disse que estava muito bom, muito sincero.
Mas o poema não foi publicado. Ofenderia a moral brasileira...

3

NA MESA DO BAR, ALGUNS RAPAZES CONVERSAVAM. A luz das lâmpadas elétricas, na rua, dava chibatadas na escuridão envolvente. Pretas gordas, nas esquinas, vendiam acarajé e mingau. E nas sombras da noite a Bahia parecia uma grande ruína de uma civilização que apenas começara a florescer.

Ricardo Braz pôs o chapéu na cabeça e convidou:

— Pessoal, vamos dar um fora?

— Não. Temos que esperar Ticiano — protestou Jerônimo Soares.

— Mas já são nove horas. É capaz de Pedro Ticiano não vir. Ele já está ficando cansado...

— Mas pelos amigos ainda se faz um sacrifício! — disse uma voz atrás de Ricardo.

— Oh! Ticiano! Você... Veio somente me desmentir.

Jerônimo bateu na mesa chamando a garçonete.

— Traz café, meu amor.

— E água. Um copo d'água... — pediu o Gomes, diretor de uma revista de cavação.

Pedro Ticiano tomou um livro que Jerônimo segurava.

— Ó rapaz! Agora é que você está lendo José de Alencar?

— Relendo, Ticiano. Eu gosto muito de Alencar...

— É bom poeta... Bom poeta...

— Poeta?...

— Sim, poeta. *Iracema* é um poema de grande sonoridade. Mas Alencar é um mau romancista...

Ricardo Braz discordou. Achava que Alencar tinha qualidades. Não era talvez grande romancista, mas lia-se.

— Romancista de garoto de colégio interno e de imbecis que se honram de ter sangue índio...

Nesse momento, entrou José Lopes, acompanhado por dois homens.

— Ticiano, quero lhe apresentar o doutor José Augusto, Primeiro-secretário de Embaixada em Paris. Este é que é o Pedro Ticiano.

— Prazer...

— Conhecia-o de nome... O senhor deixou nome no Rio...

— Bondade...

Ticiano detestava as apresentações. Dizia não saber de coisa mais hipócrita.

— O doutor Rigger, advogado.

— Pedro Ticiano, jornalista à margem da imprensa...

Apertaram-se as mãos.

Pedro Ticiano contava então sessenta e quatro anos. Velho trabalhador da imprensa, estava, na última fase da sua vida, à margem do jornalismo, onde fizera nome.

Toda a sua existência resumira-se em fazer frases de espírito e desagradar o bom senso.

No Rio de Janeiro tornou-se conhecido pelos seus epigramas e pelo seu espírito sarcástico. Panfletário de pulso, chegara a ter um grande lugar no jornalismo da metrópole.

Um dia, deram-lhe um bom emprego na província.

Na Bahia, que noutro tempo fora chamada Atenas Brasileira, florescia nessa época a mais completa estupidez.

Pedro Ticiano resolveu fazer, na boa terra, a campanha

pró-inteligência. Começou a atacar o mulatismo. Desassombrado, ficou sendo o terror dos estudantes que se fazem poetas e dos camelôs que fazem os artigos de fundo dos jornais baianos.

(Porque na Bahia, boa cidade de Todos-os-Santos e em particular de Senhor do Bonfim, todo mundo é intelectual. O bacharel é por força escritor, o médico que escreve um trabalho sobre sífilis passa a ser chamado de poeta e os juízes dão valiosas opiniões literárias, das quais ninguém tem coragem de discordar.)

Pedro Ticiano dizia que, na Bahia, todo tolo se fazia poeta. O mais sério dos homens conspícuos da Bahia, se não publicava maus versos em revistas elegantes, tinha com certeza algumas trovas rabiscadas no fundo da gaveta.

Começaram a odiar Ticiano. Foram-lhe fechando, aos poucos, a imprensa. Certa vez que escrevera violento artigo contra um mulato político em evidência foi demitido do emprego. Não podia mais voltar ao Rio. E ficou então na Bahia, pobre, tendo como prêmio de uma grande vida o ódio de todos os mestiços baianos que escreviam.

Rodeavam-no alguns amigos, poucos, os últimos e talvez os únicos verdadeiros que tivera na vida.

A sua grande satisfação era saber-se temido. Os seus inimigos não tinham coragem de atacá-lo e eram obrigados a reconhecer que o espírito de Pedro Ticiano continuava cada vez mais moço.

Notavam-lhe quase sempre o estranho paradoxo do seu nome: Pedro Ticiano. Um nome burguesíssimo e um nome de artista.

E ele explicava. Seu pai fora um comerciante que passara a vida toda a ver se conseguia reunir uma fortuna para lhe deixar. Quando todos o julgavam muito rico, faliu. Morrera de desgosto. Fizera questão de que ele se chamasse Pedro. A mãe, que tinha muita sensibilidade (escrevia às irmãs cartas em versos e tinha no quarto um retrato de Victor Hugo), achara o nome de Pedro horrível e, para suavizá-lo, acrescentou o de Ticiano. E foi batizado Pedro Ticiano Tavares. Ticiano, quando cresceu, arrancou o Tavares. O pai o perseguia muito por causa das suas tendências jornalísticas. O velho embirrava com literatos. Versos não sustentavam ninguém, costumava dizer. E Ticiano, que nessa época tinha veleidades, tirou o Tavares do nome, dizendo que a família não havia de gozar da sua glória. Ficou sendo apenas Pedro Ticiano. Hoje, pensava que o velho pai tinha muita razão. Versos não dão que comer a ninguém... Nem versos, nem prosa...

Aquela amizade chegara a ser uma grande consolação para as suas vidas. Sentiam-se amparados uns pelos outros. Ajudavam-se e juntos procuravam a finalidade das suas existências. Depois de ter aprendido, com Pedro Ticiano, todas as atitudes céticas, eles começaram um combate à dúvida. Queriam alcançar o fim. Sim, diziam, havia um fim na vida.

Pedro Ticiano ria:

— Há, sim. O fim é a morte...

Reuniram-se em torno de Pedro Ticiano, cujo espírito os encantava. E fizeram-se uma força. Temidos, tinham coragem de dizer todas as verdades. Diferentes uns dos outros, tinham, entretanto, grandes afinidades que os uniam.

Ricardo Braz nascera no Piauí. Rapaz, teve que emigrar para tentar a vida na Bahia. Conseguira entrar para a Escola Agrícola, para abandoná-la logo depois por falta de recursos. Por fim, arranjara um emprego público e estava a se formar na Faculdade de Direito. Poeta, publicara um livro de versos. E como os versos fizeram sucesso, começou a odiá-los. Necessitado de carinho, era um peregrino do sentimento. Tinha uma grande sede de amor.

E, quando pensava na finalidade da vida, idealizava sempre uma moça de grandes olhos tristes que fosse o tipo da esposa ideal.

O Gomes, A. Gomes, diretor da *Bahia-Nova*, como diziam os seus inseparáveis cartões de visita, possuía uma inteligência agudíssima ao serviço do mais completo analfabetismo.

Tentara já umas cinquenta profissões. Desde empregado de venda a cobrador de contas consideradas insaldáveis.

Por fim, resolvera ser jornalista. Metera-se pelos sertões em busca dos coronéis-prefeitos de municípios que lhe dessem notas sobre as suas cidades, fotografias e dinheiro.

A revista saíra. E, coisa até então considerada impossível na Bahia, já estava no vigésimo quinto número (dos quais só apareceram catorze) e o Gomes, cônscio da sua nova posição de jornalista, não largava um charuto e uma pasta que tinha pretensões a histórica.

Ricardo costumava dizer:

— Você, Gomes, é um canalha, mas você vence. Tem alma de chantagista. Não tem moral alguma...

O Gomes protestava, vermelho.

E Ticiano acalmava:

— Esse negócio de moral é uma tolice. O homem de talento não tem moral. E você, Gomes, tem talento. É quanto basta. Só um defeito não é perdoável no homem: a burrice.

Gomes sorria feliz. E quando a conversa girava sobre insatisfação e finalidade da vida, recostava-se na cadeira e ficava a ver, na fumaça do charuto, um palacete, autos caros, mulheres e coronéis, muitos coronéis a carregarem sacos de dinheiro...

O mais apagado deles chamava-se Jerônimo Soares. Mulato claro, bom rapaz, ingênuo, sem pretensões, sem vaidades, lugar-comum humano, que Ticiano vivia, entretanto, a fazer "à sua imagem e semelhança".

Pedro Ticiano tinha dessas maldades, às vezes. Antes de o conhecer, Jerônimo vivia sereno, sem problemas, a paz dos que não pensam nem se esforçam por pensar. Mas Ticiano (que se lhe afigurava um deus) tirara-lhe a calma. Jerônimo hoje tornara-se insatisfeito, cheio de dúvidas, sem encontrar a sua estrada na vida. Ticiano tirou-lhe a ideia de Deus e burlava do seu patriotismo. Jerônimo chegou a ser um joguete em suas mãos. E ele brincava com aquela alma, moldando-a à sua vontade.

E sorria ao imaginar que a felicidade ou a infelicidade daquele homem dependia dele.

O mais estranho de todos esses rapazes era, entretanto, José

Lopes. Formado há muito pouco tempo, já o consideravam *grande talento*. Ao contrário de Ricardo Braz, não fazia a literatura de frases de espírito e de paradoxos. Estava inteiramente integrado no espírito de seriedade da geração que aparecia.

Discutia muito com Ricardo que afirmava ser a cultura prejudicial. Ninguém devia ler para fazer cultura.

— Eu — esganava-se — leio por prazer de espírito. Leio hoje uma obra de Anatole. Agrada-me. Amanhã tenho duas obras a escolher, uma de Anatole, outra de Unamuno. Lerei Anatole, que sei me irá dar prazer.

— Eu leria Unamuno — contestava José Lopes.

— E você, Ticiano?

— Eu hoje só leio humorismo... É o gênero mais trágico da literatura. Como só vou ao cinema quando passam filmes de Carlitos. São os únicos que me comovem.

José Lopes irritava-se às vezes com as blagues dos amigos. Achava que era preciso combater a literatura de frases, de endeusamento do ceticismo. Fazer obra séria. Realizar qualquer coisa. Encontrar um caminho na vida.

— É preciso uma filosofia... — dizia ao Gomes, andando pelas ruas da cidade.

Ricardo Braz, de quem o sofrimento fizera um materialista, ironizava:

— Por que você não adere ao tomismo?

— Quem sabe? Eu sou um ateu místico... Um dissociado, mas um insatisfeito.

José Lopes sentia que não realizaria coisa alguma. Terrivelmente sentimental, não podia apartar-se dos amigos que haviam substituído a família que ele não possuía. Não conseguira a libertação que é preciso para a procura da felicidade.

— Você é o tipo do bom esposo — dizia-lhe Ricardo.

— Pode ser. Mas não me casarei. Se me casasse, tenho a certeza, minha mulher me enganaria. Nasci para esposo traído...

E, no canto dos lábios, apertava um sorriso cheio de amargura.

* * *

Paulo Rigger ligara-se a eles. Aparecia agora todas as noites para a conversa. O "jornal falado", como chamava Ticiano. Interessava-se pelo movimento literário da cidade. Fizera dos inimigos de Ticiano seus inimigos e dos amigos, seus amigos.

José Augusto é que não viera mais ao bar. E nos dias que passara na Bahia não se cansou de falar mal de Pedro Ticiano. Por um motivo simples. Conversavam animadamente quando José Augusto, segundo o seu costume, começara a fazer a apologia de Rui Barbosa.

Ticiano dissera sorrindo:

— Na Bahia só existem dois santos: Senhor do Bonfim e Rui Barbosa...

O outro abraçou-o, entusiasmado.

E Ticiano, mau, concluindo:

— E eu não admiro nem adoro nenhum...

— Boa! Muito boa! — bradou Paulo Rigger, rindo muito da cara de espanto de José Augusto.

E o diplomata não aparecera mais. Também, ninguém mais se lembrou dele.

Paulo Rigger, na Bahia, admirava-se de tudo. A "cidade de Tomé de Souza" dava-lhe a impressão de uma daquelas cidades de decadência, onde tudo morre aos poucos, numa tristeza enorme de deixar a vida.

Chegara à Bahia num dia de grande animação. No mesmo navio que ele viajavam alguns oposicionistas que iam em caravana de propaganda eleitoral fazer discursos no Norte. Ao tomar o automóvel com Julie, já os oradores seguiam pela cidade. Acompanhava-os grande massa popular. É que, entre os caravaneiros, vinha um deputado considerado o maior orador do país. E o brasileiro dá a vida por uns tropos de retórica.

O automóvel em que ia teve de fazer parte do cortejo. Impossível romper a multidão. Ele não se incomodou muito. Interessava-lhe aquilo tudo, achava tudo novo e gozava o entusiasmo popular. De cinco em cinco minutos o cortejo parava. Um popular qualquer, exaltado, fazia um discurso. Diziam que "haviam de colocar o voto branco na urna preta". Como Rigger risse dessa frase, quase foi agredido. No alto da ladeira da Montanha, a multidão parou pela sexta vez. Um bêbado fazia um discurso, esforçando-se por equilibrar-se. (Mas que sacrifício não faria pela pátria?)

E bradava:

— Eu sou o orador da canalha das ruas! O orador dos mendigos, dos cegos que pedem esmolas, dos aleijados (ampararam-no para não cair), da lama dos esgotos, das prostitutas... Pela minha boca, ilustres caravaneiros, saúdam-vos os prostíbulos, os hospitais, a podridão das vielas...

O "maior orador do país" agradeceu, emocionado, a saudação dos cegos, dos aleijados, das rameiras e da lama das ruas...

O cortejo seguiu aos vivas e morras.

Paulo Rigger disse a Julie:

— Minha filha, este é o país do Carnaval.

E sentiu-se estranho, muito estranho ao seu povo. E começou a pensar que seria capaz de fracassar no Brasil...

Depois de colocar Julie num hotel (porque Julie viera com ele, agarrada, numa fúria de gozo, de sensações que o enlouqueciam), foi para casa. A sua mãe morava no Garcia, numa chácara. Não o esperavam. Querendo fazer surpresa, nada avisara. Bateu à porta. Uma criada ainda nova atendeu-o. Ele mirava-a de alto a baixo, sorrindo. O coração batia-lhe muito no peito. Depois de sete anos de ausência, ia rever a sua velha mãe, que o adorava. Sentia-se emocionado. E olhava a criada sorrindo, enleado. Ele era o filho pródigo que voltava à casa paterna. Quem sabe se ele não iria viver agora? Paris nunca lhe mostrara o sentido da vida. Saciara-lhe apenas a carne. E ele duvidara que o instinto fosse o único motivo de uma existência. E na porta, sorrindo para a empregada, ele pensava que talvez na serenidade da sua casa encontrasse a felicidade. Pensou em Julie. Julie representava-se-lhe como uma ligação com Paris... Abandoná-la-ia.

— Que deseja, senhor?

Paulo Rigger despertou.

— A viúva do senhor Godofredo Rigger mora aqui?

— Sim, senhor.

Paulo afastou a empregada. Entrou. Atravessou toda a casa, seguido pela criada espantada. No quintal, a sua mãe dava milho a uma galinha amarela. (Rigger pensou que havia de criar galinhas.) A mãe olhou-o. Reconheceu-o:

— Meu filho!

— Mamãe!

E no fim da tarde, após contar detalhadamente a vida em Paris à mãe e a algumas amigas que vieram visitá-la, já sentia saudades de Julie.

4

A CARNE ARRASTAVA-O VENCEDORA PARA JULIE. A carne, somente a carne. Mesmo porque Julie só sabia ser instinto. Não tratava de outra coisa. Não ligava para mais nada. Bastava satisfazer o corpo...

E Paulo Rigger compreendia perfeitamente o que se passava. Apesar disso não se afastava de Julie. Ainda mais, dava-lhe razão. Se ela o queria, sinal de que o amava. O amor não passava da satisfação dos desejos... Um caso fisiológico, somente. Obrigação da natureza. Esse negócio de sentimentalismo? Puro arranjo de homens que procuraram assim encobrir e fazer mais cobiçado o amor.

Às vezes, entretanto, vinham-lhe pensamentos estranhos. Nessas horas vislumbrava verdades nas afirmações de Ricardo Braz. Talvez houvesse no amor qualquer coisa que não fosse a carne. O amor não era somente o ato de deitar-se na cama, lado a lado, cabeça junto com cabeça, numa confusão de braços e de sentimentos. O remendar uma meia, coçar um gato preto (muito aristocrático, que só dormisse sobre almofadas e não comesse feijão), dizer coisas agradáveis, ter ciúmes de sorrisos gastos com as pilhérias dos transeuntes, brigar a propósito do nome do primeiro filho, também era amor, afirmava, aos gritos, Ricardo, muito corado, as lunetas a balançarem no alto do nariz.

E continuava animado:

— Também não! Esse amor era o verdadeiro, o único amor... A felicidade... A satisfação da carne não dá felicidade a ninguém.

— Bolas! — discutia Rigger, que não queria concordar com o amigo para não ter que duvidar do amor de Julie. — Então, a gente nasce para esse amor... É a finalidade da nossa vida?

— Isso mesmo. O sentido da vida, a finalidade está no amor. Mas nesse amor de que eu falo: amor-sentimento.

José Lopes, árbitro de todas as questões, não discordava nem concordava. Meio-termo... O amor devia ser um misto do coração e sexo. Não estava de acordo em dizer que o amor fosse a finalidade da vida...

— E qual é então? — esganava-se Ricardo, defendendo o seu ponto de vista.

— Sei lá!

— Talvez a religião... Deus... — arriscava Jerônimo.

E Ticiano, aborrecido como quem ouvisse uma asneira:

— Religião o quê, rapaz! Então a sua finalidade, a finalidade do homem inteligente é a mesma que a de todos os imbecis?

— Mas o tomismo... — encorajava-se o outro.

— O tomismo é um rejuvenescimento muito voronoffiano do catolicismo. Por fim os escritores tomistas e os padres cultos terminarão numa luta corpo a corpo com as beatas velhas.

Jerônimo recolhia-se sucumbido ao fundo da cadeira. Bebia o café querendo esconder a cara.

José Lopes vinha em defesa de Jerônimo.

— Quem sabe? Pode ser...

— As religiões são amontoados de fábulas, de mentiras...

— Não é a verdade que dá a felicidade. O homem tem a obrigação de chegar à felicidade pelo caminho mais curto. E a religião poderá trazer a paz, a alegria...

Pedro Ticiano fazia frases:

— A felicidade reside na própria infelicidade, na insatisfação.

Essa insatisfação, essa dúvida, o ceticismo é que devem ser a filosofia do homem de talento. Sofismar sempre. Negar quando afirmarem, afirmar quando negarem. O fim de não ter fins.

— Tudo isso é muito velho, Ticiano. Hoje não pega mais... Hoje se quer coisa séria, obra útil.

— E essa seriedade é nova? Sócrates já quis ser sério. Sérios foram Aristóteles, São Tomás. Homens incríveis... A finalidade do artista é viver, apenas... Viver por viver, por obrigação, porque nasceu...

José Lopes cismava... Cismava muito. Seria que Pedro Ticiano tinha razão? Procurava libertar-se da influência do outro. Murmurava:

— Blagues!

No fundo, Jerônimo Soares, embevecido, contemplava Pedro Ticiano que parecia um demônio, muito agitado, os raros cabelos brancos a fugirem da prisão do chapéu, querendo voar, tendo veleidades de cabeleira de poeta...

Rigger, em caminho para casa, recordava a primeira briga que tivera com Julie. Fora naquele Carnaval, no Rio de Janeiro. Ele saíra e se demorara na rua até alta madrugada. Quando chegou em casa não a encontrou... Lembrava-se de como correra (correra, não; marcara passos...) horrível aquela noite. O leito vazio, lençóis alvos davam-lhe, talvez pelo contraste, a impressão de um leito funerário...

O ônibus parou. Os pensamentos de Paulo também pararam. Ficou olhando o casario, as palmeiras do Campo Grande. Tudo respirava uma tristeza de fim de tarde. Junto a ele, no banco, uma pequena magra, de grandes olhos espantados, folheava um livro de versos. Procurou ler o título. *As primaveras*, de Casimiro de Abreu. Sorriu. Aquela pequena, naturalmente, dava-se a romantismos... Devia ter um namorado que escrevesse versos. Talvez namorasse até com Ricardo Braz. Quis perguntar-lhe. Chegou a abrir a boca. Mas fechou-a, batendo com a mão sobre os lábios. Ora, que ideia esquisita! A moça naturalmente nem conhecia o Ricardo. Namorava qualquer empregado do comércio.

O ônibus recomeçou a andar. Rigger tomou o fio dos seus pensamentos. Julie só chegara pela manhã. A princípio, ele não lhe falara. Ela viera perguntar o motivo. Exasperou-se — que fosse aborrecer outro! Passara a noite na farra com outro, dormira com certeza com o primeiro amiguinho que arranjara e lhe vinha perguntar por que estava zangado. Que fosse para o inferno!...

E sarcástico, lábios contraídos:

— Como era ele? Preto ou mulato? Forte?

Ela explicava. Ele não tinha de que ciumar. Tolices dele... Ela, afinal, não dormira com homem algum. Não o traíra. Dançara, gritara, brincara. Isso não se chamava enganar. Por que, então, ele se zangava?...

Ele também não o sabia. Se o amor não passava da carne, da união dos sexos, ele não tinha razão de queixa. Ela não dormira com outro. Ele acreditava em Julie. Ela não mentia.

E, no ônibus, Paulo aceitava as teorias de Ricardo. Ele tinha ciúmes das frases e dos sorrisos que Julie gastara com os companheiros de farra. O amor não se restringia à posse... Mas, sendo assim, ela não o amava...

O ônibus parou. Saltou uma senhora gorda. Paulo Rigger notou que já havia passado a sua casa. Saltou também, deixando lá os seus pensamentos. Na porta da chácara a mãe esperava-o, sorriso aberto, para contar-lhe o nascimento dos pintos da Ricardina, galinha velha, querida de todos da chácara e que "havia de morrer de velhice".

Paulo Rigger gostava de ouvir a sua mãe falar sobre seu pai que ele conhecera tão pouco. Godofredo afigurava-se-lhe o homem que encontrara, no trabalho, a felicidade. O homem que não tinha problemas íntimos a resolver. O que tinha um fim.

Admirava-o e invejava-o.

Uma tarde, porém, remexendo umas gavetas que ninguém abrira há anos, encontrou um caderno que pertencera a seu pai. Não podia ser chamado de diário. Um amontoado de notas, apenas...

E lá estava:

"A minha vida, finalmente, há de se resumir nisso: trabalhar, trabalhar?... Nunca passarei de um fazendeiro rico?... Não haverá na vida outra coisa que não seja o trabalho de todo o dia e o descanso de todo o dia no seio da família?..."

— Até meu pai, até meu pai... — resmungava Rigger, entre dentes.

Julie, recostada na cama, lia um romance de Willy, fumando um cigarro fino. Abandonou o livro, um enjoo. O relógio-pulseira marcava dez horas da noite. Paulo Rigger estava a chegar. Pensou quase com aborrecimento nele. Quando chegasse, começariam logo aquelas cenas de todo dia. Ciumadas sem motivo. Queria saber como ela passara o dia. O que fizera. Onde fora...

Ela errara em se juntar a ele. Pensara que Rigger fosse um cerebral que não se importasse com o que ela fizesse. Um parisiense requintado que só quisesse gozar. E mais nada. Em vez disso, em vez de um homem requintado apenas, um viciado mestre de volúpias, saíra-lhe um romântico apaixonado. E ela lhe dizia, rindo:

— Amorzinho, você está inteiramente brasileiro! Romântico como os seus patrícios de quem você fala tanto. Você só é parisiense na boca...

E repetia um ditado que ouvira de uma preta gorda, na porta do hotel:

— Quem não te conhece que te compre...

Julie acordou de sobressalto. Paulo Rigger entrara e beijava-lhe os lábios carnudos. E, como ela não acordasse, mordeu-os.

— Oh! Você me mordeu... E que tarde você vem! Meia-noite!

— Ah, meu amor! Uma notícia... Segunda-feira iremos à fazenda, lá no sul do estado. Nós dois somente. Ficaremos sós... Na mais completa felicidade...

— Sexta, sábado, domingo, segunda... Daqui a três dias. E é bonita a fazenda? Tem onças, leões?

— Não, querida — riu ele. — Nada disso, mas tem cobras...

— Não vou. Tenho medo de cobras...

Foi um custo para convencê-la de que nem veria as cobras — que viviam no mato, coitadas!

— E se uma me picasse... e eu morresse?

Rigger exultou. Afinal, Julie não era somente carne. Era sentimento também. Temia a morte porque não queria deixá-lo sozinho.

Beijou-a sofregamente.

— Se você morresse, querida, eu ficaria infeliz, desesperado...

— Eu é quem ficaria desesperada. Não poderia voltar para a França...

Paulo suspendeu a cabeça, irritado. Apanhou o chapéu e precipitou-se fora do quarto. E murmurava:

— Cachorra! Não nega o que foi...

Julie, no quarto, pensava:

— Enlouqueceu, não há dúvida...

Deu um muxoxo. Virou-se para o outro lado e foi dormir.

5

O NAVIO DA COMPANHIA BAIANA brincava de equilibrista no meio do mar enorme.

Os fazendeiros de cacau conversavam sobre a crise e os estudantes em férias discutiam os exames e faziam planos para esse São João.

Julie, encostada num banco, a cabeça sobre as pernas de Rigger, contava-lhe como, na China, viajara trinta noites num batelão, rio acima, apenas ela e seis homens, seis chineses monstruosos.

Paulo tinha um ciúme horrível do passado. Odiava esses chineses. Seis. E ela. Ela somente. E seis chineses. Não queria ouvir mais.

Julie avisou-lhe, séria:

— Paulo, querido, você não está bom da bola...

Chegaram em Ilhéus muito cedo. A tempo de pegar o trem. Depois, aquela sucessão de paisagens. Cacaueiros carregados de frutos, muitos frutos amarelos, carregados de orvalho.

Rigger entusiasmava-se pela nova profissão de fazendeiro. E explicava a Julie a cultura do cacau. Falava-lhe da sua fazenda.

No tempo em que o pai ainda vivia, antes de ele ir para a Europa (há tantos anos já...), acompanhara-o até às roças. Diante dos seus olhos aparecia a figura do capataz, Algemiro, um mulato forte que, diziam, já fizera nove mortes, guarda-costas do velho Godofredo.

Muitas vezes descera com ele para o arraial próximo a assistir ao cinema. Depois visitavam casas imundas de prostitutas velhas, corridas das cidades, que se metiam naquele canto de mundo, a disputarem heroicamente a vida.

Algemiro, corajoso, com fama de valente, tinha sempre uma recepção entusiástica. Certa vez, Rigger recordava-se bem, Algemiro, ao entrar na pensão da Joana, uma mulatazinha que saíra de casa havia pouco e com quem ele se enxodozara, soube que no quarto dela estava outro homem. Botou-o (que medo Paulo sentira!) pela janela e depois espancou-a muito.

— Por que você bateu nela, Algemiro?

— Mulher se trata assim, coronelzinho. Mulher é traste que não presta...

Julie interessava-se. Que homens...

— E ainda vive na sua fazenda esse camarada?

— Ainda. Continua a ser o capataz. Mas já envelheceu...

O trem chiou nos trilhos. Parou. Rigger desceu, dando a mão a Julie. Reconheceu Algemiro que andava de um lado para outro à procura de alguém.

— Olá, Algemiro!

— Olhe o patrão! Como cresceu! Outro dia, um menino... Ninguém diria... Mas lá nas Oropa se cresce depressa.

— Diga, Algemiro, as montadas estão aí?

— Nós trouxe, patrão. Parece que nós tava adivinhando que o senhor trazia mais alguém. Trouxemo dois burros... O senhor podia trazer um amigo...

— Trouxe uma amiga...

Apresentou-os:

— *Mademoiselle* Júlia.

— Algemiro, o capataz da fazenda.

Algemiro, muito ativo, foi arranjar um silhão para o burro de Julie.

Montaram. Acompanhava-os um negro gigantesco, musculoso, despido da cintura para cima.

Atrás da sela, a espingarda dormia um sono inocente...

— Honório — gritou Algemiro. — Passe em frente. Eu vou atrás com o patrão.

E durante toda a viagem Julie ia admirando os músculos das costas de Honório que marchava indiferente, mascando um pedaço de fumo negro entre os dentes alvíssimos.

Os animais, acostumados a andarem aquele caminho todos os dias, carregando sacos de cacau, estacaram ante a casa alva. No terreiro, galinhas e perus catavam iscas descuidadamente.

Algemiro ajudava Paulo a descer. Honório tomou Julie nos braços e a colocou no chão. Ela chegara bem a sua cabeça loura ao peito de cimento armado do trabalhador. Sentiu um cheiro sadio de macho.

Naquela noite, quando Rigger a apertou nos seus braços fracos de supercivilizado, ela pensou voluptuosamente nos músculos de Honório e na sua estatura agigantada. E Rigger achou um sabor novo nos seus beijos e um sentimento maior nos seus abraços.

Dormiu feliz.

— Paulo Rigger apaixonou-se por uma francesa e, como ela não o ama, apenas dorme com ele, o rapaz quer se convencer de que o amor é apenas a carne... Coitado! Coitado! Não quer ter uma desilusão...

— As desilusões são necessárias — afirmou José Lopes.

— Você fala do alto da sua serenidade.

— Braz, essa serenidade minha é filha das desilusões. Eu fiquei sereno porque nada mais de bom espero da vida. Nada. Enquanto não vierem coisas piores do que as que têm vindo, eu não me queixarei.

— Isso não é serenidade, então.

— E o que é senão isso? A serenidade é uma falsificação da felicidade...

— E é o fim da gente?

— Talvez. Olhe, eu acho que sim. Conformar-se com a vida. Ir vivendo. Vivendo.

— Isso mesmo — apoiou Ticiano —, viver por viver.

— Mas José Lopes está se contradizendo. Outro dia ele discutiu com você, Ticiano, dizendo que até a religião pode dar a felicidade... Agora, nega que ela exista...

— Não é bem isso. A felicidade não existe para certos homens. Você, por exemplo, que espera encontrá-la no amor, terá uma desilusão. A felicidade não foi feita para você. Agora Jerônimo, não. É outro caso. Deem-lhe uma boa esposa e um pouco de religião, o consolo do sobrenatural, e estará feliz.

— Bem. Isso no caso de Jerônimo. Mas, no seu? Você tem talento pra burro e diz que pode chegar a católico.

— A verdade é que eu sinto, às vezes, necessidade de um consolo. A gente com os amigos, por mais que queira, não pode ser inteiramente sincero. Precisa-se de um senhor muito bom, que nos escute e console. Mas é questão de sentimento. A razão não me levou ainda até Deus. E não me levará nunca. E ao sentimento eu vencerei.

— E é esse homem que se diz sereno!

A conversa estancou. O Gomes entrara aos pulos, arrastando Jerônimo. Sentou-se esbaforido:

— Garçonete, cerveja!

— Hein? — admirou-se Pedro Ticiano. — Cerveja? Olhem, o Gomes paga cerveja. Há com certeza qualquer coisa muito grave. Gravíssima.

Gomes explicava:

— Estou entusiasmado!

— O entusiasmo é uma prova de mediocridade — interrompeu Ticiano.

— Não interrompa o homem!

— Uma ideia, uma grande ideia — bradava o Gomes, apoplético.

— Uma ideia? Você teve uma ideia, Gomes? — berrou Ricardo.

— Guarde a sua ideia, rapaz. É um tesouro.

— Ora, vá para o inferno! Sujeito chato!

Não queria ouvir, fosse embora... Bolas! Ele, afinal, se esforçava por fazer alguma coisa para o bem de todos e Braz ainda vinha chatear...

José Lopes conciliou:

— Deixem de tolices! Eu estou curioso, Gomes... Conte.

A garçonete chegou com a cerveja.

Gomes pediu charutos.

— Ouro de Cuba... Não, Suerdick no 2.

O espanto de Ticiano não tinha limites.

O Gomes, já serenado, lançou a ideia acompanhada de um soco no meio da mesa:

— Um diário! Vamos ter um diário!

— Hein?

— Um jornal?

— O que é que o Gomes diz?

— Sim, um jornal diário... O *Estado da Bahia*...

A grande aspiração deles era possuir um diário. Tomariam conta da Bahia. Ninguém poderia com eles. Ganhariam uma fortuna. E agora Gomes gritava que eles teriam um diário.

Mas Ricardo duvidou:

— Ora, isso é apenas uma ideia! Uma ideia...

— Uma ideia que já está se transformando em fato.

— Explique esse negócio, Gomes — suplicou Lopes.

— Lá vai. O prefeito de uma dessas cidades do interior quer que nós fundemos um jornal. Jornal dos municípios... Será uma sociedade anônima. Cada prefeito entra com um tanto. Nós entramos com a pena. Compraremos as máquinas e o jornal defenderá os atuais prefeitos e as suas administrações. Que tal?

Pedro Ticiano seria o diretor, José Lopes o redator-chefe. Rigger, Ricardo e Jerônimo comporiam a redação. Ele, Gomes, diretor comercial, cavaria os negócios. Nas horas vagas faria reportagens. Um negoção. De primeira...

— De fato...

— Esmagaremos a canalha, esmagaremos a canalha — gozava o Ricardo. A canalha era o apelido que ele dava aos mulatos seus inimigos, que lhe invejavam a "pose de deputado". — Você é um gênio, Gomes, quero dizer, esse prefeito é um gênio...

Ticiano propôs se bebesse em honra do prefeito.

Jerônimo pediu cigarros. Por conta do *Estado da Bahia*, explicou.

Saíram a arquitetar planos, sonhadores. Já pensavam em ter a Bahia nas mãos. A princípio trabalhariam sem ambições de lucro. Depois então...

Talvez enriquecessem. E ficassem conhecidos no país. Publicariam livros. Viveriam, enfim.

José Lopes pensou:

— Não acredito. Naturalmente, teremos desilusões, aborrecimentos...

Ricardo Braz também achava aquilo pouco para uma vida. "O trabalho não basta. É preciso o amor..."

Só o Gomes, satisfeito, ria muito mostrando os maus dentes. O seu vulto alteava-se e ele marchava a passos largos. Estava no caminho da vitória...

Havia dez dias que estavam na roça. Paulo Rigger sentia-se feliz. Tinha a certeza de que Julie lhe pertencia inteiramente. E quem teria a coragem de lançar os olhos para a amante do patrão? Também, Julie não iria dar ousadia a nenhum daqueles brutos, mais animais do que homens.

Toda manhã, Rigger montava e dava um pulo ao povoado. Trazia jornais e revistas que lia à noite, à luz do candeeiro, antes de deitar-se. Julie nunca o acompanhava. Pretextava não gostar de andar a cavalo.

Naquela sexta-feira, Rigger saíra cedo. O céu, um pouco nublado, ameaçava chuva. Assim mesmo, ele seguiu. Pôs o burro a trote. No meio da estrada, porém, as nuvens se faziam mais carregadas. Paulo resolveu voltar. Quando chegou, não encontrou Julie em casa. Saiu a procurá-la pela roça. Que teria ela ido fazer? Talvez colher tangerinas...

Rigger ia descendo despreocupadamente o atalho que levava à fonte, junto à qual vegetava um grande pé de tangerinas quando, olhando por acaso para um lado, empalideceu.

Debaixo de uma jaqueira, Julie e Honório, abraçados, sorriam. Ela tinha as saias suspensas, deixando à mostra as coxas alvas.

Rigger não fez escândalos. Voltou para casa e esperou...

Julie chegou ao meio-dia. Notou a cara zangada de Rigger. Temeu que ele houvesse descoberto tudo. Mas, treinadíssima naquelas situações, não se embaraçou:

— Chegou há muito tempo, meu amor?

— Há muito já.

— Eu andava passeando por aí, pela roça.

— Já sei. Prepare as suas malas. Nós viajaremos amanhã.

Ela não discutiu. Entrou para o quarto. Ele saiu a procurar Algemiro.

Encontrou-o junto a uma barcaça, vendo secar o cacau.

— Algemiro, despeça Honório.

— Mas, patrão, ele deve seiscentos mil-réis à casa!

— Arranje um meio de ele pagar e despeça-o. Se ele não tiver dinheiro, mande prendê-lo.

— Ele tem uma casa no povoado. Com o aluguel sustenta uma filha no colégio, em Ilhéus.

— Quanto vale a casa?

— Uns quinhentos mil-réis.

— Tome a casa.

E foi saindo.

Algemiro acompanhou-o. Falou baixinho:

— Patrão, se quiser pode-se liquidar o homem... Ou dar uma surra. Afinal, ele não devia olhar para o jirau do patrão...

— Não. Tome a casa, somente.

No único quarto da casa havia uma única cama. Julie deitou-se. Rigger achou que seria desaforo passar a noite em claro por causa de uma rameira. E deitou-se também.

Ela, no canto, encolhida, deixava aparecer, de propósito, o seio. Ele sentiu que o seu pé tocava no de Julie. Um arrepio correu-lhe todo o corpo. Quis levantar-se, mas não pôde. Ela virou-se na cama e encostou-se a ele. Paulo acariciou-a. Abraçaram-se. Possuíram-se.

E, no grande momento, ela pediu:

— Perdoe-me...

— Não!

Empurrou-a. Apertou-lhe a garganta. Ela gritou. Soltou-a. Tinha uma vontade louca de esmagá-la. Disse-lhe nomes feios. Ela sorriu. Ele deu-lhe um soco. Julie gritou:

— Covarde!

E ele bateu-lhe até cansar-se. Depois, deixou-a chorando na cama. Saiu. Aspirou com força o ar da noite. A lua, no alto, escondeu-se atrás de uma nuvem.

E o vento parecia cantar-lhe nos ouvidos a marcha carnavalesca:

Dá nela...
Dá nela...

6

MESES DE INTENSO TRABALHO. O *Estado da Bahia* tomava-lhe todo o tempo. Deveria aparecer por aqueles dias. Paulo Rigger e José Lopes não saíam da redação, em longas conversas. Aqueles dois homens extremamente diferentes se compreendiam. Ambos não estavam satisfeitos com a própria vida. Ambos sentiam a necessidade de *algo* que não sabiam o que fosse, algo que lhes faltava. Eles chegaram à conclusão de que se vive para qualquer coisa superior. Qual seria ela? Ricardo Braz afirmava que a finalidade da vida, isto é, a felicidade, só se encontra no amor. Jerônimo Soares insinuava a medo que talvez a religião satisfizesse essa ânsia de finalidade de todos os homens.

Paulo Rigger inclinava-se para o que dizia Ricardo. José Lopes não duvidava que Jerônimo tivesse razão, mas não chegavam nunca àquela certeza a que os outros tinham chegado. Entre eles, Pedro Ticiano, agora com uma terrível doença nos olhos que lhe ia roubando a vista, jurava, sobre a experiência dos seus sessenta e cinco anos, que o homem superior não tem finalidade. Vive por viver...

— Mas Ricardo Braz é superior e entretanto garante que o amor, o casamento, a vida burguesa trazem a felicidade.

— Mas ele já amou? Já casou? Quando amar, quando se casar, se decepcionará...

José Lopes estava com Ticiano. O amor não podia dar a felicidade...

E, vitorioso:

— E a saciedade? E a tragédia da saciedade?

Agora podia ser que o sobrenatural — Deus, a religião — consolasse.

Pedro Ticiano esganava-se:

— Não duvido. Pode consolar. Mas quem procura consolo são os fracos, os medíocres, que não podem lutar com a vida sozinhos e precisam de Deus.

— Eu confesso que, sozinho, fracassarei...

— Qual nada! Você procura o sentido da sua vida, não é? Muito bem. Isso é uma coisa inteiramente cerebral. Você procura coisa superior, essa finalidade, porque você não está satisfeito com o que existe... Você não quer se consolar... A sua questão é de cérebro e não de coração...

— Engano seu. A questão é muito mais de coração do que de cérebro. E, fique certo, o pouco de cérebro que há em nós é que nos afasta da felicidade... Ricardo será infeliz no amor porque irá notar os menores defeitos da esposa, a sua pouca estética ao fazer a comida ou ao varrer a casa. Rigger, na religião, criticaria a falta de poesia de algumas orações e o excesso de outras.

— Pronto! Você apoiou meu ponto de vista. Se vocês fossem iguais a todos os outros, achariam a felicidade em qualquer parte. Na religião, no amor, no trabalho, em qualquer coisa. Mas, como vocês são superiores, não a encontrarão nunca. A felicidade pertence somente aos burros e aos cretinos. Felizmente, nós somos infelizes.

O Gomes entrara. Servira de testemunha num processo de defloramento. Um amigo seu "fizera mal" a uma moça e ele, para que o amigo não casasse, fora à delegacia dizer que a pobre não valia um caracol.

— E não valia mesmo, não?

— Sei lá! Sei que o outro é meu camarada!

— Animal!

Gomes contava, risonho, o que lhe sucedera. O delegado,

um estúpido, quisera que ele jurasse, com a mão sobre a Bíblia, que só falaria a verdade. Andaram procurando uma Bíblia. Não encontraram.

Trouxeram um *Adoremus*. O delegado mandara que ele jurasse. Aí pessoal, ele sapecara...

— O quê?

— O senhor disse que eu devia jurar sobre a Bíblia. Não tem uma Bíblia, o senhor traz um *Adoremus*. Se não encontrasse o *Adoremus* o senhor mandaria que eu jurasse sobre o *Primeiro livro de Felisberto de Carvalho*, não é?

Riram.

— Que tal? Boa?

— Boa! Muito boa, mesmo...

Saíram. No canto da porta uma preta vendia amendoim torrado e roletes de cana.

O Gomes parou para comprar amendoim.

— Isso é indigno do diretor comercial de um jornal...

— Vá plantar favas!

Despediram-se.

— Você aparece à noite, Ticiano?

— Já não posso... A vista não consente...

Ticiano tentou sorrir, mas uma tristeza sem fim espalhou-se-lhe pelo rosto enrugado.

Sentou no bonde. E foi até em casa conversando com dona Mercedes, sua vizinha, que se queixava do marido, só metido em política (e logo na oposição...), em tempo de tomar um tiro, uma punhalada...

— Coitado do meu João... Tão bom, tão delicado...

E enxugava as lágrimas, como se o marido já houvesse morrido.

Ticiano, gentil, pagou o bonde. O condutor continuou a sua viagem: "Cavalheiro, faz favor?". Ticiano ficou a ouvi-lo. Lembrou-se dos seus amigos. Viviam a dizer: "Felicidade, faz favor?". E tinha a certeza de que terminariam céticos como ele, indiferentes, superiores à vida.

Dona Mercedes recitava-lhe um discurso do marido.

Quando Maria de Lourdes chegou ao meio da escada (longa escada capaz de pôr tuberculosa uma pessoa em dois meses), já começara a gritar:

— Dindinha! Dindinha!

A madrinha e todo o mulherio que habitava aquele sótão, vizinho de um quarto andar onde viviam uns protestantes e vizinho do céu, chegaram à porta. Maria de Lourdes subia às pressas, esbaforida, os cabelos castanhos a fazerem revolução, os olhos muito abertos, muito grandes.

— O que é, Lourdinha?

— O que é? O que é? — faziam as mulheres, a curiosidade a saltar dos olhos, bocas semiabertas, mortas por saber...

— Hoje tem cinema grátis!

A madrinha zangou-se. Não precisava fazer todo aquele estardalhaço por causa de um cinema. Metera-lhe um susto. Ela ficara a julgar que fosse algum conhecido que houvesse morrido...

Maria de Lourdes desculpava-se. Tão raro um cinema... Só quando grátis. E a empresa, malvada, resolvera suspender as *soirées chics* (moças e senhoras, grátis; senhores, mil e duzentos réis; crianças, seiscentos réis). Agora, o novo proprietário (o ex-dono não pôde continuar no bairro. As mulheres moveram-lhe uma guerra de morte. E ele vendeu o cinema), querendo popularizar-se, recomeçou a dar *soirées* grátis.

O mulherio apoiou Maria de Lourdes.

Lourdinha tinha razão. Tão raro um cinema... E as fitas, quais eram?

Feliz, uma alegria grande a bailar nos olhos grandes, ela explicou:

— Tom Mix, "o rei dos caubóis". Deve ser extraordinário. A mocinha é... Ora, não me lembro. Aquela lourinha, bonitinha, dos beijos demorados, muito demorados... Não há meio de me lembrar do nome. Não faz mal. Tem ainda *Por que choras, palhaço?*, uma fita colossal... No fim, os primeiros episódios do *Expresso da morte*...

— Que bom! Que bom!

Havia ainda uma comédia de Chuca-Chuca. Esquecera-se.

— E jornal? Tem jornal? — perguntou dona Helena, uma loura de seus trinta anos, de quem falavam mal. Diziam que frequentava casas suspeitas. Viam-na, na rua, cada vez com um namorado diferente... Ela queria saber se havia jornal. Tinha loucura por Afonso XIII, rei da Espanha. E ele sempre vinha nos jornais do cinema.

— Mas ele é casado, dona Helena.

— Não faz mal. Ser amante do rei não desmoraliza... Se quer saber pergunte à dona Maria. (Dona Maria era uma árabe muito magra que alugava todo o sótão e realugava os quartos. "Ganhava fortuna...", cochichavam pelos cantos os inquilinos.) Na terra dela os reis têm quarenta mulheres...

— Eu é que não queria ser amante nem do homem mais rico do mundo.

— Diz isso de boca... De boca... Se aparecesse um bruto de nota...

— Você pensa que todo mundo é você...

— Ora! Piores... muito piores... As sonsas são as piores...

E aquelas mulheres trabalhavam com mais gosto, às pressas, para irem, à noite, ao cinema...

Tão pequeno aquele sótão... E morava tanta gente nele! Na sala da frente, dona Maria, a árabe, com dois filhos pequenos, chorões e sujos, que punham o sótão e a escada em polvorosa com as suas brincadeiras. Dois diabos, chamava-os dona Helena. No quarto junto dormia um velho, servente de um banco. Entrava à noite e saía pela manhã, o pobre homem. Todos achavam que era uma boa pessoa... Junto a ele, num quarto pequeno, Maria de Lourdes e a madrinha viviam. A madrinha, dona Pombinha, dona Januária Lima, cosia. Com o que ganhava (uns magros cinco mil-réis diários) sustentava-se e à afilhada, que ela criara desde pequena e não admitia que fizesse nada, a não ser arrumar o quarto, e comprar umas fazendas na rua. No último quarto, dona Helena e duas irmãs, Georgina e Bebé, passavam o dia a se xingar. Sabiam toda espécie de nomes feios, aquelas moças. Trabalhavam pouco. A Helena não se sabe como arranjava dinheiro para comer, pagar o quarto e ainda vestir-se bem. A Georgina já começara a "cavar". Somente a Bebé, a mais moça, seios ainda a aparecer, ficava em casa a bordar sapatinhos para recém-nascidos. (Tinham grande saída. Vendiam-se numa loja da baixa dos Sapateiros como produto francês.) No quarto defronte morava outra árabe, que tinha um nome complicado que se reduzira a Fifi. Dona Fifi, mãe de um filho malandrão, já homem (seus dezessete anos), que só vinha em casa buscar dinheiro para a farra. Vivia no meio de moleques da pior espécie, a calotear mulheres nojentas da ladeira do Tabuão. Quando dormia em casa, vez por outra, ficava nu no mesmo quarto com a mãe que, deitada no chão (o filho dormia na cama), não cansava de reclamar o seu modo de vida. Ele a xingava muito em árabe. Às vezes, escapava alguma palavra em português que as vizinhas atentas percebiam.

— Besta... diabo velho... égua...

Dona Pombinha benzia-se.

— Esse menino é excomungado. Acaba mal.

Dona Helena apoiava. E, demais, noite que ele passasse em casa era noite em que ninguém dormia. Brigava com a mãe a noite inteira... Um inferno!

Só a Bebé gostava dele. Ele trazia-lhe caramelos e sentavam-se os dois na escada, ele a beliscar-lhe a ponta dos seios que nasciam e a morder-lhe a orelha. E ela a deixar, muito trêmula. Tão bonzinho, ele...

— Uma falta de vergonha! — resmungava dona Pombinha, moralista. Nunca se casara, coitada, e aquelas coisas irritavam-lhe os nervos. Sofria um nervoso horrível. Por causa dos seus nervos brigara com os irmãos e se sujeitara a trabalhar para viver. Ela e Maria de Lourdes! Coitada de Maria de Lourdes! Tão nova e já tinha sofrido tanto! Os parentes, que se irritavam com dona Pombinha, nunca quiseram saber dela. E Lourdes acompanhava a madrinha naquele calvário que era a sua vida.

— A minha vida é um romance, seu Horácio — repetia dona Pombinha ao velho servente de banco (nas horas vagas, poeta. Já publicara versos em alguns jornais da Bahia. Assinava-se com um pseudônimo: Vivaldo Moreno). — Um romance... É só escrever.

Maria de Lourdes fizera então dezesseis anos. Muito bela, os olhos, uns grandes olhos tristes, pareciam feitos de névoa. Os cabelos, que lhe batiam nos ombros, tinham cambiantes castanho-louros. Seios pequenos suspendiam a blusa. E uns lábios muito vermelhos que esmolavam beijos. Gozava fama de bem-comportada. Só lhe sabiam de um namorado, o Osvaldo, que, desde o colégio (conheceram-se na aula primária), gostava dela. Chegaram a ser noivos. Mas ele morrera, coitado! E agora só restava dele um retrato que Maria de Lourdes guardava, última recordação do seu "inesquecível Osvaldo"...

Menina infeliz, Maria de Lourdes!

7

PAULO RIGGER, NAQUELA NOITE, jantara com Ricardo Braz, que se formara havia poucos dias. Tinham conversado muito. Sobre tudo. Sobre o Brasil. A revolução, de que os jornais tanto falavam. Paulo Rigger não acreditava que a revolução melhorasse o país. Ricardo, tampouco. Em todo caso, piorar não podia. O Brasil "estava à beira do abismo". Frase retórica, mas verdadeira...

— É deixá-lo cair! É deixá-lo cair! Deve ser muito engraçado o Brasil no fundo do abismo...

Gargalharam.

Ricardo achava, apesar de tudo, que, no Brasil, havia problemas interessantes, dignos de estudo.

O maior problema do Brasil é saber se se escreve o seu nome com *s* ou com *z*.

— Não, há problemas interessantes. O problema do Norte...

Jerônimo Soares, que também viera "filar" os "pirões" de Braz, entrou na conversa:

— A gente deve pensar também na felicidade do povo... na felicidade da pátria...

Rigger discordava:

— Só se deve cuidar da felicidade pessoal. No dia em que cada um for feliz a humanidade o será... Esse negócio de sacrificar-se pelo bem-estar comum não vai comigo. E pátria... Eu não tenho o sentido de pátria. Só me senti brasileiro duas vezes. Uma, no Carnaval, quando sambei na rua. Outra, quando surrei Julie, depois que ela me traiu.

— Ticiano é quem tem razão. Naquele artigo de apresentação do *Estado da Bahia*, ele definiu bem a pátria.

Ricardo lembrava-se.

Jerônimo recitou o trecho:

— "A pátria é o lugar onde o homem, pobre animal inferior, encontra com que se alimentar e onde dorme com uma mulher ou com outro homem, conforme as suas predileções."

— Isso mesmo!

Por sinal, o Gomes danara-se. Berrava que o jornal estava desmoralizado. José Lopes, a rir, só discordava do pedaço homossexual. E levaram o Gomes na troça.

— Ora, eu nasci no Brasil. Mas a minha fornicação é toda francesa... O que sou devo-o à França. Qual é a minha pátria? Numa guerra entre o Brasil e a França, por qual devo lutar?...

— E o problema político — inquiriu Jerônimo —, que acham dele? O movimento fascista é grande. A propaganda comunista, enorme.

— Eu não sou nem por um nem por outro. O Brasil não deve importar sistemas políticos. Nós até hoje temos importado tudo. Até uma constituição. Demo-nos bem com ela? Nós precisamos é nacionalizar tudo. Desde os sistemas de governo até as prostitutas... Nem comunismo, nem fascismo... Nem polacas, nem francesas... — explicava doutoralmente Ricardo.

— Cuidado, Ricardo, esse rubi traz uma doença contagiosa: a retórica... Pois eu sou comunista... — e Rigger engasgou-se com um pedaço de carne.

Jerônimo não acreditava:

— Comunista, você? Um aristocrata? "Comigo não, violão..."

— Mas, Rigger, o comunismo é bonito em teoria... Na prática, um fracasso. Igualdade, igualdade... Depois os operários que governam a surrar o povo... É isso o comunismo na prática.

— Mas é exatamente por isso que eu sou comunista... O comunismo mandaria surrar os brasileiros três vezes por dia. O povo endireitava... No Brasil eu sou comunista prático. O único remédio eficaz para o brasileiro é o chicote...

— Ah, ah, ah! Você hoje está um novo Ticiano.

— Coitado do Ticiano, quase cego! E sempre a sorrir, superior, da vida...

— Eu às vezes penso que Ticiano tem razão. Que a nossa vida há de ser um rosário de infelicidades, de desilusões... Que a felicidade não foi feita pra gente...

— ... que a gente vive por viver... Pode ser. Mas eu não me quero convencer disso. Eu ainda espero...

— Eu também — fez Rigger, abaixando a cabeça sobre as mãos.

— Pois eu estou com Ticiano — contradisse Jerônimo.

Rigger segredou a Ricardo:

— Segundo as teorias de Pedro Ticiano, ele, Jerônimo, é o único de nós que pode ser feliz...

— Mas ele teme que a gente o julgue inferior...

Falaram sobre mulheres.

— Então já esqueceu Julie completamente, Paulo?

— Já. A carne — eu estou com você, Ricardo — não é tudo no amor...

— Ah! Enfim... Eu não lhe dizia? Se você a tivesse amado também com o coração nunca a teria esquecido...

— Eu estou de acordo com você... Mas acho que o amor não existe mais. Talvez já tenha existido. Hoje só há a parte da carne... É verdade que não satisfaz...

— Ainda há casos de amor-coração, de casamentos felizes, de paixões...

— Há. Nos romances de Pérez Escrich.

Na porta do cinema iluminado, o milagre. Os dois olhos nevoentos de Maria de Lourdes riam. Os lábios também riram para Paulo Rigger. E ele sentiu que o coração cantava uma canção de felicidade. Ficou a admirá-la. Que olhos! Grandes, invernosos, tristes... Seriam feitos de névoa ou de dúvida? E aqueles cabelos castanhos que sonhavam ser louros... Uma cascata de cabelos (estava retórico, sim senhor!). Lábios úmidos, ávidos de amor...

Na porta do cinema apinhavam-se mulheres numa confusão de que os rapazes se aproveitavam para beliscar as moças.

Maria de Lourdes ia entrar. Paulo precipitou-se sobre a bilheteria. Deu dois mil-réis, deixou o troco... E entrou junto de Maria de Lourdes, sem deixar que os ousados a beliscassem, como faziam com as outras.

No cinema, a fita já havia começado. Ela ficou de pé ao lado da madrinha, que sentara na última cadeira da sala repleta. Combinaram revezar-se. De três em três partes, trocariam de lugar. Uma sentava e a outra assistiria de pé.

Na tela, Tom Mix, cavaleiro andante do Arizona, praticava proezas medievais para conquistar o coração da sua dama. Paulo Rigger falou muito, atrás de Maria de Lourdes. Dos cabelos dela um perfume intenso, forte, se desprendia (dois mil-réis o vidrinho na loja de seu Oseias. Ninguém diria que custasse menos de quarenta mil-réis. Seu Oseias explicava que era contrabando...).

Paulo disse-lhe do vazio da sua vida. Da tristeza de ser sozinho. "Você quer ser a deusa da minha existência?... Venha ser a Nossa Senhora do meu coração..." Gabou-lhe os olhos. Tão lindos... E os cabelos... E o seu todo... Dir-se-ia uma aparição oriental... Uma Scheherazade que viesse contar histórias bonitas para que ele se alegrasse. Tão linda... Devia ser muito boa, também...

Ela sorria olhando a fita. Mas não via bem. A figura de Tom Mix, na tela, confundia-se com a de Paulo Rigger, que estava a lhe falar ali atrás...

Terceira parte. Luz na sala. A madrinha levantou-se mas Maria de Lourdes fê-la sentar-se: "Fique, madrinha, estou bem de pé".

Paulo Rigger saiu do cinema com a alma a transbordar de felicidade. Dava-lhe vontade de gritar com todas as forças dos seus pulmões: "Heureca! Encontrei a felicidade!". Seguiu Maria de Lourdes até em casa. Subiu a ladeira do Pelourinho tão abstrato que nem sentiu as pedras soltas do calçamento colonial. O grupo onde ia Maria de Lourdes parou em frente do alto casarão. Dava ideia de um caixão, aquele sobrado. No patamar da escada, a escuridão dominava triunfante. Não penetrava ali um raio de luz. Na porta, umas senhoras que moravam perto despediram-se. Rigger, defronte, fumava um cigarro, fitando Lourdes num olhar muito lânguido, úmido de amor.

Ela, muito elegante, numa deliciosa fascinação de conjunto, olhava-o às vezes, às pressas, enleada. Quando as senhoras se foram, dona Helena, sonolenta, propôs:

— Vamos subir?

Subiram. Antes de ingressar na treva Maria de Lourdes acariciou com o seu olhar nevoento a alegria nascente de Paulo Rigger.

Ficou quase meia hora a esperar que ela aparecesse em qualquer das janelas dos três andares. Não sabia que aquele sótão triste não tinha janelas para a rua. Apenas uma porta sobre a escada imunda...

Desanimou, por fim. E subiu a rua cantarolando...

Os amigos, à exceção de Pedro Ticiano, cujos olhos já não enfrentavam as trevas da noite, estavam no bar de costume. Escutavam Jerônimo Soares que contava a história muito interessante de um crítico literário baiano que fora surpreendido recebendo dinheiro de um "pretendente a intelectual" para elogiar o seu livro de versos a aparecer por aqueles dias.

Rigger, que nadava num mar de alegria, revelou uma bondade até então desconhecida nele:

— Ora, a gente não deve ligar pra isso. Deve desculpar. Perdoar... Deve-se mesmo perdoar sempre na vida. Os homens superiores devem amar-se uns aos outros...

— E principalmente uns às outras — riu vitorioso o Gomes.

— Deixe-se de trocadilhos idiotas, rapaz... Você dizia, Rigger...

— Que nós devemos nos amar uns aos outros. E que nós devemos ter uma grande indiferença pelos outros homens, que não são nem podem ser iguais a nós... Devemos perdoá-los sempre... Nada que eles façam de tolo, de ridículo nos deve causar surpresa... "Eles são inferiores. Não sabem o que fazem..."

— Parabéns, Messias!

— Eu não sabia que você tinha tão grande coração...

José Lopes concordava com Rigger. Ricardo e Jerônimo Soares classificavam aquilo de mais uma blague de Paulo.

— A gente não deve perdoar a imbecilidade. Não deve nem pode... Então eu hei de perdoar a burrice crassa daqueles mulatos que publicam uma revista que é uma afronta à gramática e às boas letras do país? — interrogava Ricardo Braz.

— Eles não têm culpa. Não foram eles que se fizeram burros.

Jerônimo só lamentava Pedro Ticiano não estar ali para ouvir a revelação dos sentimentos bons de Paulo Rigger.

— Mas deviam compreender a sua mediocridade e não aparecer. Eu desculpo os burros convencidos da sua nulidade. Os que pensam ser alguma coisa, não...

A opinião de José Lopes pesou no grupo:

— Eu acho que a gente não deve tratar desse pessoal... É dar valor... Para que lembrar essa canalha? Melhor seria esquecer que eles existem...

— E eles existem mesmo? Têm algum valor para existirem? Vivem, não existem... — apoiou o Gomes, lançando baforadas de fumaça para o ar.

— Por que é que você está contente hoje, Paulo?

— Sei lá! Talvez, hoje, eu tenha encontrado a felicidade... Quem sabe se não topei com o caminho, hoje... O fim talvez não esteja fora do meu alcance...

— Você estará apaixonado, Rigger? — espantou-se José Lopes. — Você é bem capaz disso. Os homens que, como você, se dizem cerebrais, são os mais sentimentais.

— Ninguém sabe onde termina o cérebro e onde começa o coração...

— Você é capaz de paixões repentinas... Olhe o seu caso com Julie. Você chegou a amar aquela mulher.

— Desejava-a, somente.

— Cuidado, Paulo, muito cuidado. Não vá fazer uma tolice...

Que José Lopes deixasse disso. Afinal, não havia nada. Ele namorara no cinema uma menina bonita e romântica. Murmurara-lhe coisas sonoras aos ouvidos. Ela nem respondera. Sorrira apenas. A verdade é que aquilo lhe dava uma grande satisfação. Mas não havia nada de sério...

José Lopes, assim mesmo, recomendava cuidado. Ricardo Braz, ao contrário, aconselhava Paulo Rigger a continuar o namoro.

— Pode ser o princípio da sua felicidade. Ninguém tem o direito de deixá-la fugir... Eu, logo que me apareça o meu ideal, casarei. Se a senhora Felicidade passar ao alcance da minha mão, garanto que a agarrarei...

— Nada! O amor não é finalidade da vida de ninguém. Nem o amor, nem o casamento. O amor não tira a insatisfação, a inquietação de pessoa alguma. Essa inquietação é uma coisa muito mais séria. Ticiano diz bem, eu o reconheço. O problema é muito cerebral...

— Você mudou de ideia em pouco tempo. Afirmou há dias que essa insatisfação era questão de sentimento. O mínimo de cérebro. Pois eu estou com o que você disse outro dia, mano...

— Um misto. Sentimento e cérebro. Mas só o cérebro resolve. Eu disse também que a gente não chega a ser feliz por causa do cérebro... O sentimento pode-se satisfazer, mas o cérebro não. O amor não resolve o problema, consequentemente...

— Resolve. Só as coisas naturais, humanas, podem dar alegria e felicidade à vida... Compreendeu?

— Compreendi e discordo. Tudo é muito pouco. A filosofia, o conhecimento filosófico, sim, talvez console um pouco. Talvez mesmo resolva o problema. Eu penso resolvê-lo assim...

— Que filosofia, que nada! Só as coisas naturais, o amor, os instintos, a fé, o trabalho podem nos satisfazer... Só as coisas comuníssimas aos homens...

— Não. Só a filosofia.

— Eu falhei procurando-a no instinto, na carne — explicou Rigger. — Sou capaz de procurá-la no amor-sentimento. Chegarei até à religião... Só não irei à filosofia. A filosofia deve fazer uma confusão horrível. Mostrar-nos-á cinquenta caminhos. E cinquenta caminhos imprestáveis...

— Isso mesmo!

— E como você poderá chegar à religião, sem a filosofia? Ao amor eu admito que você chegue pelos sentidos. Mas à religião?...

— Chegarei pelo sentimento. Sem ler tratados. Sem travar conhecimento com Maritain e São Tomás... Serei católico, nunca tomista...

— Isto é blague, Paulo. Você não chegará ao amor, quanto mais à religião! Você será um Ticiano na vida. Sem coragem para realizar. Vivendo, existindo apenas...

— Não. Tentarei. José Lopes está irritado hoje. Por quê?

— Não estou irritado. Um bocado mais desiludido, somente. Já não acredito nem na serenidade... Ticiano diz que nós somos os "mendigos da felicidade"...

— Tem razão. Para mim, Ticiano resolveu o caso de nossa inquietação, da inquietação de todo mundo de hoje, e guarda avaramente o segredo... Ele não se preocupa com a vida... Feliz!

— Feliz nada! É um cético. Coloca-se *sobre* a vida. Faz-se espectador. Não vive. Comenta. Ironiza. Satiriza. Destrói. Apenas. Isso não é felicidade. Isso é o próprio endeusamento da inquietação, da infelicidade. Ticiano acha que só a dor é estética. Só a dor é bela. E como sobrepõe a beleza a todas as coisas, ama a dor. Adora ser vencido. Gaba-se de ser um fracassado. Escreveu outro dia a "Balada cinzenta da minha dúvida". Um voltairiano meio epicurista. Não. Epicurista, não. Ele não sente mesmo alegria na vida. Sente indiferença... E ele garante que ficaremos como ele. Às vezes, eu acredito. E fico como vocês viram hoje. Contradigo as minhas próprias opiniões. Fico somente um disco a repetir o que Pedro Ticiano desperdiça pelas mesas dos bares...

— É interessante — notou Rigger — como nós combatemos

Pedro Ticiano, apesar de ele ser nosso mestre. Nós aprendemos com ele a indiferença e o ceticismo. Depois, combatemos esse ceticismo... Ticiano nota isso.

— Nota. Mas ri-se da gente, sabendo que, por fim, nós veremos que ele tem razão...

— E, afinal, nós devemos o que somos a ele, que, antes de tudo, é amigo. Cético, indiferente, mas amigo até ali.

— A norma da vida de Ticiano é "saber ser amigo e saber ser inimigo".

José Lopes lamentou-o. Quase cego, coitado! Que tragédia não sofreria aquele homem de tanto talento, que terminaria sem poder sair de casa, sem poder ler... Uma coisa horrível!

Tomaram o último chope. Paulo Rigger distribuiu esmolas entre mendigos e vagabundos que, na frente da igreja da Sé, estendiam papéis no chão — a mais macia cama onde podiam descansar o corpo doente...

Jerônimo deu parabéns a Paulo pela caridade:

— E você que sempre combateu a esmola, hein? Qualquer dia desses você irá ao Bonfim...

Depois construiu uma frase:

Aqueles homens sofrem a única tragédia verdadeira... A da fome...

— Nada. A nossa é muito maior — atalhou José Lopes. — A nossa fome é a fome do espírito.

Paulo Rigger sonhou com Maria de Lourdes.

Na manhã do dia seguinte sentiu um prazer imenso em brincar com os pintinhos e em dar milho às galinhas na chácara... Tão boa, a vida burguesa da família...

E se casasse? Teria um filho a quem ensinaria que a felicidade consiste no amor...

Sentou-se na cadeira de balanço e ficou a cismar. Pensou em Maria de Lourdes, em casamento, filhos, em Pedro Ticiano.

Levantou-se:

— Eu termino me suicidando...

Um gato coçou-se nas suas pernas. Deu-lhe um pontapé. Mas

logo após, arrependido, tomou-o nos braços e, levando-o para uma janela, contou-lhe as suas indecisões.

O gato, muito prudente, preferiu não dar conselhos... Suspendeu a cabeça aristocrática, mirou-o atentamente e lambeu as patas. Sábio e profundo gato. Lavava as mãos no caso de Paulo Rigger...

8

RICARDO BRAZ GOSTAVA DE IR À MISSA das dez horas, na Catedral, aos domingos. Levantava-se cedo, vestia-se o mais elegantemente possível para, como lamentava José Lopes, perder a manhã. Chegava à igreja, a missa já por acabar. E se colocava fora da porta a admirar o desfile das moças elegantes que vinham macerar os joelhos nas lajes da igreja.

Uma vez estava a contemplar o talhe perfeito de uma senhorita, quando puxaram-no pelo braço. Voltou-se.

— Você, Antônio?

Abraçaram-se. Era o advogado Antônio Mendes, seu companheiro de turma, rapaz rico e social que conhecia meio mundo.

— Antônio, você, que conhece essas moças todas, sabe quem seja aquela ali, de preto?

— Sei, sim. Uma moça pobre... quero dizer, que não é rica. Mas muito elegante. Você quer uma apresentação?

— Quero, sim.

Caminharam até onde estava a senhorita — muito bem-vestida, pálida, olhos semicerrados, preguiçosos. Não chegava a ser bonita. Muito simpática, apenas.

— Oh, doutor Antônio! Como vai?

— Vou bem. E a senhora, dona Mercedes?

— Assim, assim...

— E a senhorita, dona Ruth, como tem passado?

— Regularmente.

— Quero apresentar-lhe o meu distinto amigo, o doutor Ricardo Braz. Formou-se agora na minha turma. E é poeta, também.

— Oh, não, minhas senhoras! Jornalista, apenas...

Ruth sabia-o. Trabalhava no *Estado da Bahia*, não era? Pois se ela via Ricardo sempre!

— Onde, senhorita?

Dona Mercedes, solícita, explicava:

— Nós somos vizinhas do doutor Pedro Ticiano...

— Ah! O *meu querido diretor*...

— ... e o senhor sempre vai à casa dele.

— Verdade. Ticiano tem sido um grande amigo meu.

Antônio Mendes despediu-se. Ricardo ficou. Por coincidência, ia almoçar com Pedro Ticiano. Levou-as até o bonde. Subiram. E a conversa correu mansa, encantando Ricardo. Ruth conhecia o seu livro de versos.

— Então a senhorita faz uma triste ideia de mim.

— Não. Ao contrário. Gosto muito do livro. Mamãe é que não gosta de um dos sonetos.

— Qual?

— Um tal de "Fria". É um pouco forte.

— Ah, sim!... "Fria"... Foram os amigos que fizeram questão de colocá-lo ali...

Ricardo ficou a pensar nos versos. Sempre considerara "Fria" o seu melhor soneto. E logo esse desagradara a mãe de Ruth...

Na porta da casa, elas disseram que ele "aparecesse sempre, para dar uma prosa".

— Olhem que eu sou capaz de abusar do convite...

— O prazer é todo nosso...

Ricardo entrou em casa de Ticiano, que morava então numa sala de frente da residência de uma família. Mas Ticiano via-se obrigado a mudar. Teria que habitar com o filho casado. Pois se já enxergava com dificuldade... E o corpo todo já lhe doía. Iria morrer na casa do filho. Pelo menos, não morreria entre estranhos...

— Ticiano, vim almoçar com você.

— Onde come um, comem dois...

O *Estado da Bahia* podia ser considerado vitorioso... Mas fora uma vitória *às avessas*. Vencera pela antipatia. Todo mundo comprava o *Estado da Bahia* para ver quem levava pancada naquele dia. Não era um jornal de escândalo. Mas falava a verdade e tinha coragem. E um jornal que fala a verdade, na Bahia, diz coisas piores do que o jornal mais infamante do universo.

Se não fossem aquelas eternas brigas entre Pedro Ticiano e A. Gomes, tudo iria admiravelmente. Mas os dois diretores tinham discussões violentas. O Gomes, com a mania de enriquecer, queria exercer uma censura sobre os artigos de Ticiano, que não a admitia de modo algum. E brigavam horas seguidas. Gomes não concordava com os ataques a personagens que pudessem dar dinheiro ao jornal.

— De um jornal de chantagens eu não faço parte — declarava Ticiano.

— Não é chantagem, é política, homem! — e o Gomes arruinava os pulmões, gritando.

José Lopes conciliava as coisas. O artigo saía sempre um pouco mais brando. Pedro Ticiano satisfazia-se.

Gomes ainda resmungava:

— Assim nunca havemos de ganhar dinheiro...

Só pensava em ganhar dinheiro, em ficar rico. E não o estava ficando, o canalha? Agora, morava na Avenida, fumava charutos caros e (diziam mas ninguém acreditava) já frequentava casas de rameiras...

E sonhando, a olhar a fumaça que se desprendia do charuto, jurava que, quando "tivesse dois mil contos, seria feliz".

Paulo Rigger passara dias perdidos ante aquele sobrado da ladeira do Pelourinho. Nunca conseguira ver Maria de Lourdes. E a sua imagem começava a desaparecer do seu espírito quando, uma tarde, descendo de automóvel (antigamente andava a pé, devagar...), viu Maria de Lourdes que saía de casa. Parou o carro. Saltou. Ela o olhou sorrindo.

— Pensei não a ver mais...

— E eu também. Se não fosse o acaso de o senhor passar aqui agora... Ia para onde?

— Para lugar nenhum. Passava de propósito para vê-la. Tenho estado aqui dias seguidos. Não a consegui ver ainda. Não aparece nas janelas...

— Onde eu moro não tem janelas, senhor.

— Senhor, não. Tratemo-nos por você, está certo?

— Está. Onde eu moro não há janelas. É um sótão. Eu sou muito pobre... E o senhor... isto é, você parece ser muito rico. Automóvel bonito! Nunca poderá gostar de uma moça como eu. E eu que pensei que você fosse um empregado do comércio, com quem pudesse ser feliz...

— Não diga isso... Como é mesmo seu nome?

— Maria de Lourdes Sampaio. Em casa, Lourdinha. E você, como se chama?

— Paulo Rigger.

Ela interessou-se por ele. Gostava muito dos advogados, mas não simpatizava com os jornalistas. Dona Helena (e dona Helena tinha experiência dessas coisas) dizia que os jornalistas eram muito volúveis. Quis saber o que ele praticava mais, se advocacia ou o jornalismo.

— Para falar a verdade, eu sou mais jornalista. Trabalho no jornalismo. Da advocacia não cuido. Mas sou um jornalista diferente. Volúvel? Não. Quando gosto, gosto mesmo...

E começaram a se encontrar todos os dias. Ele adorava a ingenuidade dela, a sua tristeza, o amor que ela lhe tinha, aquele carinho que ela demonstrava por ele. Nunca encontrara quem o amasse assim. E começou a crer que a felicidade estava no amor...

* * *

A família de protestantes, que morava no quarto andar, mudou-se. Logo no dia seguinte, uma italiana alugou todo o andar, para "botar pensão". Paulo Rigger soube. Disse-lhe Maria de Lourdes. Ele teve uma ideia. Passeavam como de costume e quando, de volta, pararam no patamar da escada, ele encostou-a a si.

— Querida, amanhã vou fazer-lhe uma surpresa.

Os seus rostos tocavam-se. Beijou-a longamente.

— Oh! Paulo...

— Perdoe, noivinha...

Na escada Georgina ria, feliz por ter pegado Maria de Lourdes numa falta. E cinco minutos depois todo o sótão sabia que Maria de Lourdes, embaixo, fazia diariamente descaração com o doutor Paulo, aquele rapaz do automóvel, que escrevia no jornal.

— As sonsas são as piores — sentenciou dona Helena.

Na tristeza do seu quarto, dona Pombinha ouvia tudo, aflita, com uma vontade louca de desmenti-las, de matá-las.

Quando Lourdinha subiu, todo o sótão olhou-a com risinhos. Ela atravessou impassível.

A madrinha interrogou-a. Mentira! Infâmia daquela Georgina! Naquele dia, ele a beijara. Mas chamara-a de "noivinha". Ia pedi-la. Atirou-se nos braços da madrinha, chorando.

Ricardo Braz andava preocupado. Quase não aparecia. Abrira na própria redação do *Estado da Bahia* um escritório de advocacia. E passava os dias a esperar o primeiro cliente. Queria casar, o rapaz. Amavam-se ele e Ruth. Mas a pequenez dos seus vencimentos tornava impossível pensar em casamento. Ganhava quinhentos mil-réis na Prefeitura. Retirava duzentos mil-réis no *Estado da Bahia*. Não dava para viver. E, demais, não havia de ser um pobre funcionário público toda a vida. E o rapaz emagrecia pensando nos meios que poderia arranjar para ganhar bem.

— Se eu tivesse a alma de ladrão do Gomes!

— Cachorro! Vá aborrecer outro...

O pai de Ruth já lhe dissera que, assim que pudesse sustentar a esposa, viesse pedir a menina. Era do seu gosto, isso era. Mas podendo sustentá-la. Para deixá-la morrer de fome, não!

Ricardo arrancava os cabelos, desesperado.

— Eis como a felicidade chega ao alcance da gente e se deixa fugir... Que desgraça!

Pedro Ticiano rogava pragas:

— Queiram os céus que você não arranje dinheiro. Só assim você evitará ser infeliz... O casamento não lhe dará a felicidade, Ricardo.

— Infeliz, eu? Eu me conheço bem, Pedro.

— Mas eu lhe conheço melhor ainda...

A preocupação agora envolvia-os quase completamente. Ricardo todo entregue a Ruth. Paulo Rigger só pensava em Maria de Lourdes. José Lopes, lendo cada vez mais, enterrado entre os livros de filosofia, via uma luta intensa. Dividia-se entre o instintivismo e espiritualismo. Procurava os amigos para discutir, livrar-se daquele peso. Mas os amigos pouco apareciam. Entregues ao amor, mal vinham à redação fazer às pressas as suas notas. Pedro Ticiano estava insuportável. Cada vez mais *blagueur*, respondera-lhe quando falara sobre o assunto:

— O espiritualista não conhece o espírito, e o materialista não conhece a matéria. A atitude da dúvida é a única atitude. Você vê toda a confusão moderna. Pois eu, o cético, me envolvo nela, sinto-a, mas, entretanto, ela não me vence.

— Mas você não se sente inquieto? Não sente a falta de alguma coisa?

— Sinto-me inquieto. Sinto a dúvida. Mas, ao contrário de vocês, eu não procuro solução para esta inquietação e para esta dúvida. Ao contrário, faço dela o fim da minha vida. Nela consiste a minha felicidade. No dia em que deixar de duvidar, quando tiver uma certeza, ser-me-á impossível viver.

— Isso tudo já é velho, Ticiano. A sua geração endeusou a dúvida. A minha a combate.

— O que não quer dizer senão que a minha geração foi muito superior à de vocês.

— O caso das nossas gerações é o mesmo que o da literatura de antes e de depois da Guerra... Uma, literatura de frases; a outra, literatura de ideias.

— Não é assim. Mas, mesmo que fosse, eu ficaria com a literatura de antes da Guerra. Eu, quando leio um artigo, não quero saber se o seu autor tem ou não boas ideias, se é ou não útil. O que eu quero saber logo é se ele é ou não escritor, se escreve bem ou mal. Mas a verdade é que a literatura anatoliana tinha também ideias. Dava soluções. Mandava que se duvidasse sempre. É ou não uma solução? Colocava a Beleza acima de todas as coisas. Vocês aceitam Deus porque Deus é útil. Nós o negávamos porque achávamos que ele não satisfazia o nosso ideal estético.

— Vocês eram terrivelmente egoístas. Ególatras, às vezes.

— E vocês praticam o Egoísmo na sua forma mais torpe: o humanitarismo. Nós queríamos a aristocracia do talento, do espírito. Vocês hoje pleiteiam a aristocracia da força. Vocês fazem com que a inteligência abra falência... Só a cultura fica valendo alguma coisa. Porque só a cultura é útil.

— Mas vocês foram fracassados.

— Sim, porque toda vitória na vida é um fracasso na Arte...

— Já passou a época dos paradoxos, Ticiano.

— É verdade. E chegou a das citações...

Maria de Lourdes acordou a cantar. A sua voz ressoava, fresca, por todo o sótão. Encostou a cabeça à janelinha que do seu quarto se abria sobre o telhado vizinho. Na janela do quarto andar, um rapaz lia atento. Reconheceu-o.

— Paulo?

— Lourdinha! Não lhe disse que ia fazer-lhe uma surpresa? Aluguei um quarto aqui, para estar mais perto de você...

À noite, ela veio até à escada conversar com ele. A escuridão mandava ali. Ele beijou-a muito. A sua mão resvalou por baixo da blusa e encontrou um seio. Ela deixava, pálida. Apertaram-se.

— Paulo...

— Minha Lourdinha...

E a vida foi correndo assim. O quarteirão todo só falava no namoro escandaloso do moço rico com Maria de Lourdes.

Georgina garantia que, na escada, presenciava sem-vergonhices sem conta. E contava às amigas coisas espantosas.

— Como sabia?

Espiavam, ela e as outras, por detrás da porta do sótão. Ele chegava, sentava-a no colo. Beijava-a. Amassava-lhe os seios. Não sabia como ela ainda "era moça"...

— Falta de lugar... — rosnava dona Helena — Essas sonsas... Essas sonsas...

Maria de Lourdes não dava ouvidos a essas coisas. A madrinha, tampouco.

Paulo Rigger, para fechar a boca do mundo, pediu Maria de Lourdes em casamento.

Ela, vingativa, ofereceu um chocolate aos moradores do sótão. E gozava os parabéns invejosos.

Mas à noite, quando foi deitar, a madrinha ouviu que chorava muito. Não lhe perguntou o que fosse. Felicidade, naturalmente. Mas só Maria de Lourdes sabia por que chorava! Não tivera coragem de dizer ao noivo "aquela coisa" que a torturava...

9

A FITA DE CINEMA DA VIDA DE Maria de Lourdes deu reprise em sessão especial para ela própria. E ficou revendo aquele tempo em que namorava Osvaldo. Não completara ainda quinze anos. Uma garota que só tinha da vida a noção errada dos bancos colegiais. Osvaldo entrara nos seus dezoito anos e com eles entrara, pela primeira vez, na casa de uma rameira. Aprendeu o que era carne. Mas aprendeu às pressas, sem refletir. E seu noivado (um noivado de criança) com Maria de Lourdes começou a tomar outro aspecto. Ela, toda ingenuidade, entregava-se-lhe.

Um dia — doía-lhe a recordação do dia da sua desgraça — ele a levara até o seu quarto. Ela saíra feliz. Por muito tempo ignorou o que aquilo significava. Só quando foi morar naquele sótão é que soube, pelas conversas de Helena e Georgina, que uma moça que já se deixou possuir por um homem não pode mais casar, pois as leis acham que numa pele intacta reside toda a honra do mundo.

Guardou, silenciosa, o seu segredo. E, quando Paulo Rigger começou a amá-la, ela começou a sofrer. Não tinha coragem de revelar-lhe o terrível segredo. Ele, tão ciumento... De Osvaldo, que já morrera (depois de gastar nas casas de prostitutas os seus pulmões), ele ciumava. Quanto mais se ele soubesse toda a verdade! Mas diria tudo. Ele tinha de saber sempre... Para que enganá-lo? E Paulo Rigger não conseguia compreender a razão da tristeza de Maria de Lourdes.

Nenhum dos seus amigos acreditou no seu noivado. Nem Ricardo Braz... Blague de Paulo. Ele estava brincando... Noivo, ele? Quá, quá, quá!

— Vocês não acham gozado? — e o Gomes rebentava de rir.

Entretanto, Paulo Rigger estava noivo. E não queria demorar o casamento. Casar-se-ia logo para não deixar fugir a felicidade. Passaria uns tempos na Europa... Não. Na Europa, não. Ele não voltaria à Europa, onde se aprendia o ceticismo. Agora que resolvera o problema da vida, que chegara à finalidade, não voltaria àquela oficina de indiferentes, de *blasés*... Iria para a roça. A sua lua de mel não acabaria jamais... E depois? Depois a felicidade de todo o dia. E depois? Essa mesma felicidade.

Paulo Rigger não se saciaria daquela felicidade doméstica? E Pedro Ticiano sorvia aos goles o café.

— Não, Ticiano. Eu, até hoje, não tenho feito outra coisa senão procurar a felicidade. Encontro-a. Vou então me aborrecer dela?

— Mas você está noivo mesmo? — inquiria, duvidando, Ricardo Braz.

— Estou sim, Ricardo. Já há alguns dias.

— E quem é a noiva?

— Uma menina que eu encontrei na vida. Muito pobre, mas muito boa.

— Uma mulatazinha — emendou José Lopes — de família desconhecida. Nunca pensei que Paulo chegasse a esse grau de estupidez...

— Olhe, José, vou lhe dizer uma coisa. Se você falar novamente de minha noiva deste modo, nós cortaremos as relações.

Paulo, muito sério, todo zangado, quis levantar-se. Lopes fê-lo sentar-se.

— Seja feita a sua vontade, rapaz, não se fala mais na sua excelentíssima noiva...

Agora quem se levantava era Ricardo Braz.

— Onde vai você?

— Vou receber um político eminente da minha terra que chega hoje. Um animal perfeito! E ainda mais oposicionista. Tem prestígio em certa zona. Pode me arranjar qualquer coisa. Eu também quero me casar...

— Toda prostituta tem uma tragédia, Jerônimo. Quer ver?

E Pedro Ticiano chamou a mulher que passava.

— Minha filha, conte aqui para nós, para mim e para este amigo que é o "último romântico", como você veio para esta vida, esta vida terrível que as mulheres casadas chamam de fácil...

Ela não se fez de rogada. E começou a contar, os olhos baixos amassando com os dedos a ponta do casaco, quase envergonhada. Bonitinha, aquela mulher! Dois grandes olhos espantados e uma boca pequena onde brincava um sorriso fácil de oferecimento. Nada de aristocrático. O tipo da camponesa bonita.

Tudo igual à das outras... Vivia lá em Nazaré com os pais. Cosia. Ganhava até dinheiro. Um dia, um homem rico e elegante que fora passear na cidade prometera-lhe casamento, casa bonita, automóveis. Naquele tempo ela ainda acreditava nos homens. Depois, deixara-a perdida, odiada pela família. Viera então para a Bahia. E aí estava a sua história. Igual à das outras...

— Vivendo a tragédia das prostitutas que nasceram para mães de família. Em todo caso, minha filha, você escapou de ter sofrido uma tragédia muito maior, a de ter morrido virgem...

Jerônimo apertou as mãos. Teve ódio de Ticiano. Aquele homem só vivia de gozar a desgraça dos outros. Um miserável...

Pedro Ticiano afastava-se lentamente. A rameira, parada,

continuava mergulhada nas suas recordações. Tão bonitinha! Jerônimo, sem que Ticiano o visse, deu-lhe vinte mil-réis.

— Obrigada. O senhor é tão bom...

O bar estava cheio. Pelas mesas espalhavam-se os bons burgueses trabalhadores que engoliam voluptuosamente o seu chope. Ticiano falava alto, escandalizando um grupo de políticos. Recitava epigramas. Pequenas caricaturas dos "grandes talentos" da Bahia. Um bêbado entrou no bar. Havia um pretexto para não dar a esmola. O homem iria beber cachaça...

Ticiano chamou-o. Deu-lhe dez tostões.

— Toma, desgraçado. Metade do que tenho no bolso agora.

— Eu não vou beber, não senhor.

— Cale-se, estúpido! Eu quero que você beba... Tem de beber. Você gosta do álcool, não é? Então, beba. A gente deve satisfazer sempre os nossos instintos... Eu gosto dos bêbados porque são anticonvencionais.

O ébrio, sem compreender, saiu às cambalhotas.

— O homem, então, deve ser escravo do instinto? — discordava José Lopes.

— Você prefere ser das convenções, não é?

Pedro Ticiano morava agora com o filho. Piorara muito da vista e sentia um enfraquecimento geral. A morte chegava. O espírito de Ticiano continuava o mesmo. Sempre o mesmo jornalista de combate, o epigramista fino.

O filho não queria que ele escrevesse mais. Devia deixar daquela vida. Recolher-se à casa, não sair, abandonar as conversinhas diárias. Para que ele estava a escrever diariamente um artigo e ainda notas? E, demais, mal pago... Gomes roubava-os. Pagava mal a todos eles, que o serviam como amigos, e enriquecia.

E Ticiano queixava-se:

— Quando eu tinha dezoito anos, meu pai perseguia-me por causa das minhas veleidades literárias. Agora, persegue-me o filho...

Ricardo Braz juntou-se ao grupo. Acabara de levar a bordo o tal político da sua terra. O homem seguia encantado. A nota do *Estado da Bahia*, com clichê, então... Um sucesso!

— Prometeu-me tudo, o homem! A Ruth vai ficar contentíssima...

— Você e Rigger são uns imbecis! Vão casar. Vão meter-se na mais completa mediocridade. Vocês casam, vamos ser sinceros, para possuir as respectivas noivas. Depois que saciarem o sexo...

— Mas você engana-se redondamente quando pensa que nós casamos unicamente para poder dormir com as nossas noivas. Casamos porque temos necessidade de carinho. Queremos sexo e coração...

— E antes de vocês se saciarem do sexo, se saciarão do coração. Eu já fui casado...

— Qual nada! Nós sentimos que esse amor é a nossa finalidade.

José Lopes bateu na testa. Uma coisa que trouxera para lhes mostrar. Afinando a voz, leu:

"MADEMOISELLE SENTIMENTO. — Mademoiselle Sentimento, eu te amo tanto... Eu te adoro. Por que é que os teus olhos fogem dos meus olhos, quando conversamos? Por que essa tristeza que às vezes faz pálida a tua face? Por que não me contas tudo, não me abres inteiramente a alma, mademoiselle Sentimento? Bem sabes que eu te amo tanto..."

— Quem é que escreveu esse amontoado de besteiras?

— De lugares-comuns...

— É a crônica social de amanhã.

— Você escreveu isto, Ricardo?

— Não. Rigger pediu-me para fazer a crônica amanhã.

— Paulo Rigger, tão panfletário... tão violento...

— Sim, Paulo Rigger que, noutros tempos, escrevia o "Poema da mulata desconhecida"...

— Coitado!

— Está perdido o rapaz...

Quando Maria de Lourdes leu a crônica de Paulo ficou encostada à mesa, olhos a fitarem o jornal, lágrimas caindo.

— Vou contar-lhe tudo. É o jeito. Sei que ele não me perdoará, mas conto tudo. É preciso.

Logo depois, desanimava. Ele era tão ciumento... Bastava que ela olhasse qualquer outro homem, mesmo sem interesse nenhum, para que ele se pusesse a reclamar. E ela o amava tanto, meu Deus! Se ele não a perdoasse (ele tinha tanto ciúme do passado!) ela morreria de dor. Não resistiria.

— Em que pensa, Lourdinha?

— Oh, Jardelina! É você?

Uma irmã (nunca se lembrara dela antes do seu noivado com Paulo Rigger que era, afinal, um rapaz rico. Visitava-a agora constantemente) de Lourdinha, que se formava esse ano, em professora. Gabou os livros de Maria de Lourdes, as revistas.

Jardelina se admirava de Paulo Rigger não ter querido que Maria de Lourdes se mudasse daquele sótão infecto.

— Ele quis. Queria que nós fôssemos para uma casa nossa. Dindinha é que é cheia de escrúpulos e não quis...

— Naturalmente. O que não haviam de dizer? Quando ele se casar, então, sim. Por ora quem sustenta a casa sou eu. Ele, aliás, reconhece que eu tenho razão.

— E quando é esse casamento?

— Por estes dois meses. Paulo quer casar de repente, sem cerimônia, sem avisar a ninguém...

— Que homem excêntrico! E depois, onde vão passar a lua de mel?

— Também não sabemos. Talvez Paris, talvez roça...

— Com licença.

Paulo Rigger beijou a mão de Lourdinha, de dona Pombinha e cumprimentou Jardelina.

— Como vai, doutor Paulo?

— Bem. E a senhora?

Paulo não tolerava a irmã de Maria de Lourdes. Achava que ela tinha cara de intrigante. Um nariz de papagaio. Pessoa que tem nariz de papagaio não presta, explicava à noiva.

— Falávamos a respeito do casamento, doutor. Quando é?

— Qualquer dia destes. A senhora saberá no dia em que nós nos casarmos.

— E não me convida para a cerimônia?

— Não, mesmo porque não há festa. Logo depois de casados pelo juiz embarcaremos.

— Que homem, meu Deus! E aonde vão, depois?

— Aos Estados Unidos, dar um passeio... Eu não conheço os Estados Unidos. Aproveito.

— Eu prefiro a Europa — intrigou Jardelina. — E você, Lourdinha?

— Eu? O que Paulo quiser.

Olharam-se. Nos olhos dela, uma grande tristeza. Nos dele, uma grande alegria...

Tão longe a felicidade... Tão perto a felicidade...

— Vou dormir — declarou Ricardo Braz.

— E eu também — apoiou José Lopes levando, sonolento, a mão à boca que se abrira num grande bocejo.

O Gomes já se retirara. Como viajava no dia seguinte para o sertão, recolhera-se cedo.

— Eu os levo no meu automóvel — ofereceu Rigger.

— E você, Jerônimo, não vai?

— Não. Fico. Eu hoje vou peregrinar pelas ruas... Estou sentimental...

O auto seguiu. Quando desapareceu na esquina, Jerônimo começou a andar ao léu. Pensou na sua vida antes e depois de encontrar Ticiano. Antes, tão feliz... Vivia a vida boa dos que não têm problemas. Depois, aquele homem estranho derrubara todos os seus ídolos — Deus, a Pátria, o Amor. E ele não sabia se tinha de agradecer a Pedro Ticiano. A verdade é que começara a ser infeliz. Uma grande ânsia de voltar à sua vida antiga enchia-o completamente. Mas temia que o achassem medíocre... Uma mulher, da janela, chamou-o. Voltou-se. Reconheceu a prostituta daquela tarde. Entrou.

— Não me reconheceu? Pois eu, mal o vi, lembrei-me logo do senhor.

E arrastava-o para o quarto.

Conversaram. Ela não suportava aquela vida. Todos a tratavam mal. Demais, não aprendera a sorrir para tantos homens. Não ganhava, assim, nem para viver.

Uma grande pena, muito humana, penetrou no coração de Jerônimo Soares. Esqueceu os amigos, Pedro Ticiano, as blagues, tudo. Esqueceu que "ter pena dos outros é não ter pena de si próprio". Esqueceu que "não se deve sofrer pelos outros nem sofrer a dor dos outros. Basta a nossa".

A rameira chorava, a cabeça encostada no seu ombro.

Ele deu-lhe cem mil-réis pedindo-lhe, por favor, que não dormisse com homem nenhum naquela noite. Ela admirou-se de ele não querer ficar, nem ter deitado com ela.

— Voltarei amanhã.

— Tão bom, o senhor...

(Tão bom que ela teve vergonha de beijar-lhe a boca. Fazia isso a todos os homens. Beijou-lhe as mãos. Foi ele quem lhe beijou os lábios longamente.)

O céu cheio de estrelas. A Lua, muito gorda, parecia uma atriz velha entre *girls* novas.

Jerônimo sentia-se feliz. Começava naquela noite a volta à sua vida de outrora. Começava a libertar-se de Ticiano. E, se o conseguisse, chegaria à mais completa felicidade. Tinha todos os elementos para isso. Era bom e burro...

10

O ANÚNCIO ESCANDALIZARA. Toda a cidade comentara-o. Senhores graves, sérios colarinhos (existe gente cujo prestígio provém de usar colarinho alto), indignados, vociferavam contra aquilo, que insultava todos os homens de gênio do Brasil.

Os estudantes pretendiam promover uma manifestação de desagrado ao *Estado da Bahia*. Mas, como souberam que seriam recebidos à bala (Jerônimo, belicoso, imitou Floriano Peixoto), desistiram. A "esperança da pátria brasileira", os estudantes, só ataca pobres coitados que não podem reagir. O anúncio fez tanto sucesso que, no Rio de Janeiro, um crítico escreveu uma crônica sobre ele. Achou-o maravilhoso. Diante da voz da metrópole, a Bahia encolheu-se, medrosa. Meteu o rabo entre as pernas e ficou somente a resmungar. E tudo isso por causa de um anúncio de um quarto de página que o *Estado da Bahia* publicara. Em letras grandes e pretas:

PRECISA-SE DE UM HOMEM DE GÊNIO PARA A ARTE BRASILEIRA

O rumor do anúncio chegou até o sertão, por onde viajava o Gomes. Numa cidade, o prefeito negou-se a dar publicações para o *Estado da Bahia*. O jornal estava a fazer campanhas antipatrióticas. Esquecera-se que a Bahia, para não falar no resto do Brasil, tinha homens geniais. O Gomes suou para cavar as publicações. Voltou para a capital irritado. Ticiano estava a lhe arruinar o jornal. Isso assim não ia direito... Não ia...

— Casaremos no próximo sábado — disse-lhe Paulo Rigger. — Viajaremos logo à noite para Nova York...

Maria de Lourdes encostou-se-lhe no ombro, a chorar.

— Que é isso, Lourdinha? Não se sente feliz?

— Sim, Paulo. Mas...

— ... mas...

— ... eu tenho uma coisa para lhe dizer.

— Diga, querida.

— Agora não. À noite. Tem muita gente aqui. À noite sairemos a passear. E eu digo...

Ele passou numa impaciência louca aquele resto da tarde. O que seria, de tão sério, que ela tinha a lhe contar? Sempre suspeitara que ela guardasse um segredo. Aquela sua tristeza... E Paulo Rigger sentia-se invadir por uma grande angústia. Medo de perder a felicidade próxima. De se ver de novo na confusão, sem rumo. Maria de Lourdes chorou toda a tarde. Ia-se decidir o seu destino. A sua felicidade ou a sua infelicidade. E morava nela um pressentimento de que ele não lhe perdoaria.

A noite estava mais linda do que nunca. Uma grande noite para namorados. E, antes de sair, eles se beijaram demoradamente na escada. Tinham a sensação de se beijarem pela última vez. Andaram muito tempo na rua sem pronunciar uma palavra. Ele temia a revelação que Maria de Lourdes prometera fazer. Ela não se sentia com coragem para lhe contar tudo. Ele criou ânimo:

— Conte, noivinha...

Soluçando baixinho, ela contou. "Não era mais moça." Disse-lhe do seu amor por Osvaldo e como, ingênua, se lhe entregara sem saber o que fazia. Digna de perdão. Mas não lhe contara ainda porque tinha medo de que ele não a perdoasse. Perdoaria?

Ele, numa monstruosa volúpia de sofrer, fê-la narrar tudo nos mínimos detalhes.

Sentiu que as luzes da cidade se apagavam aos poucos. E aos poucos, na sua alma ia vencendo a treva. A felicidade fugia. Estava toda escura a cidade. Maria de Lourdes dependurou-se-lhe no pescoço, mordendo-lhe os lábios. A luz voltou violentamente para as lâmpadas elétricas. Mas a alma de Paulo Rigger continuou em trevas.

Disse, como um ébrio:

— Vamos...

Acompanhou-a até em casa. Deixou-a no patamar da escada, chorando.

E saiu, aspirando o ar com força, numa vontade doida de esmurrar os transeuntes, de cuspir na cara das mulheres, de dizer palavras feias...

Os amigos estranharam-lhe o rosto.

Perguntaram-lhe o que tinha. "Nada, nada." Que o deixassem, pelo amor de Deus. Pediu cachaça à garçonete. Bebeu muito. E pelo fim da noite, chorando de raiva, contou a sua infelicidade aos amigos.

— E agora, o que você vai fazer? — perguntou Jerônimo.

— Sei lá! Sei lá! Tenho cabeça para pensar?... Nem quero pensar no que farei!

Ricardo achava que o melhor que ele fazia era casar. A melhor resolução. Maria de Lourdes devia ser sincera. Ele casasse. Não era tão anticonvencional?

— A gente não pode vencer a convenção assim tão facilmente — objetou José Lopes. — Ela traz a força de dezenove séculos de vida! É uma herança terrível...

— Você tem razão, José. Eu não posso vencer a convenção. Sinto que ela é digna do meu amor, mas sou incapaz de casar com ela. Animal que sou, deixo fugir a minha felicidade...

Acompanharam-no à casa. Ricardo Braz ficou para dormir com ele. Podia querer fazer uma loucura, à noite...

Conversaram todo o resto da noite. Paulo Rigger decidira-se a procurar no outro dia Maria de Lourdes e casar-se. Por que não? Que tinha ele com o passado? E lutava. Sentia impossível, entretanto, romper com o passado, arrancá-lo da memória. Para que ela lhe contara tudo? Por que não o deixara na ignorância? Poderiam ser tão felizes...

No outro dia, passou várias vezes em frente da casa dela. Mas não teve coragem de entrar. Disse a José Lopes:

— Sou um miserável! Um infeliz! Perdi a minha felicidade por minha culpa! Porque não consegui vencer o convencionalismo! Estúpido, idiota que sou...

Gomes precisava de um deles para ir ao Rio entrevistar os próceres do movimento revolucionário vitorioso. Paulo propôs-se. Iria às suas custas. Melhor ainda para o jornal!

E Paulo Rigger viajou.

No Rio de Janeiro frequentou todos os cabarés, viveu numa farra contínua a ver se conseguia esquecer Maria de Lourdes. E parece que, no fundo do álcool que bebia, a sua figura triste se foi tornando tênue, muito tênue...

Uma tarde encontrou um velho conhecido, o diplomata José Augusto, que descia a Avenida rodando uma bengala.

Paulo Rigger chamou-o. Precisava exatamente de um homem daqueles, tolo e cheio de si, para conversar, entreter-se, esquecer.

O diplomata abraçou-o, comovido.

— Por aqui, doutor Rigger? Passeando?

— Não. Vim entrevistar os próceres revolucionários. Agora o senhor está bem, não é, doutor José Augusto?

— Como?

— Vencedor o movimento revolucionário, o senhor terá a sua legação.

Nem lhe falasse nisso. Os seus planos tinham falhado. O ministro não era o seu amigo. E ele, com o descalabro em que ia tudo, com os "cortes" do funcionalismo dos ministérios, julgava-se feliz por continuar secretário de Embaixada. E agitava os braços, furioso.

— A revolta foi uma desilusão. Nós, os verdadeiros patriotas, que acreditamos nela, estamos desiludidos. É necessária outra revolta. Mas que essa outra corte a cabeça de muita gente...

E, gesticulando muito, segredou ao ouvido de Paulo Rigger os últimos boatos. O atual estado de coisas não se seguraria por muito tempo. O Exército se levantaria, dentro em pouco...

Paulo Rigger notou que o povo não estava satisfeito. Mas o povo não pedira a revolução? Ele mesmo, Paulo Rigger, assistira a *meetings* em que os oradores berravam pela revolução, "que tiraria o Brasil da beira do abismo"...

— Enterrou-o, meu amigo. Enterrou-o.

Como era que, agora, poucos meses depois, o povo já clamava contra o estado de coisas? Queriam, com certeza, que em dois meses os governantes endireitassem o país?

— Não é isso. O senhor não conhece as virtudes do povo brasileiro. O nosso povo só aplaude os que estão na oposição. Nunca apoiou, por melhor que ele fosse, um governo.

— Virtude, não é? Um povo carnavalesco...

— Sabe, doutor Rigger, quem parte hoje para o exílio?

— Não.

— Aquele ex-deputado baiano que eu lhe apresentei. O doutor Antônio Ramos.

— Ah, sim! O burríssimo...

— Sim, aquele mesmo... Mas tem uma mulher, o peste!

— Ela vai para a Europa também, com certeza...

— Não. Ela fica.

— Mas parece-me que ela adorava Paris. Por que não aproveita a ocasião?

— Porque o Rio de Janeiro, sem o marido, é um paraíso... Melhor do que Paris.

O ônibus de José Augusto vinha lá embaixo. Combinaram encontrar-se à noite. E o diplomata entrou no ônibus, a cumprimentar um e outro mansamente, com a calma de quem fez da hipocrisia uma profissão.

No hotel, Paulo Rigger encontrou duas cartas. Uma da sua mãe. Recebera o telegrama que lhe passara dizendo da viagem e reclamava cartas. A outra, assinava-a Ricardo Braz. Pedido de conselhos. O político da sua terra, agora no poder com a vitória da revolução, oferecera-lhe uma promotoria numa cidade do interior do Piauí. Ordenado regular. Mas a vida, lá, baratíssima. Viveria perfeitamente com a mulher. (Sim, porque só aceitaria esse emprego para casar.) E, mesmo, poderia fazer nome como advogado (a promotoria não impedia advogar no cível) e ganhar dinheiro. Com Ruth, a felicidade enfim. Que achava Rigger? Só José Lopes e Ticiano não queriam que ele casasse. "Que seria infeliz... que seria infeliz."

Depois, um *post scriptum*: "Venha embora, Paulo. As coisas aqui estão cada vez piores. Inevitável um rompimento entre Ticiano e o Gomes. José Lopes já desistiu de evitar. Só mesmo você...".

E Paulo Rigger respondeu a carta:

....
.... e, se acha que isso trará a felicidade para sua vida, não vacile: case-se. Eu não lhe aconselho o casamento como meio de resolver o problema da vida. Não o tentei. Sinto, entretanto, que se o tentasse, seria infeliz. Tão infeliz como sou hoje. O meu gênio... Os meus ciúmes... A vida passaria a ser um inferno. Para mim e para Ela. Mas se você tem certeza de que encontrará no amor, no casamento, a finalidade da sua vida, não ouça conselhos, não dê ouvidos a ninguém. Case-se e vá viver. E se for infeliz? Uma bala resolve tudo. Resolve todos os problemas da vida.

José Lopes, quando você lhe mostrar esta carta, dirá que eu lhe ensino um remédio que não quis tomar. Ticiano sorrirá, afirmando que eu estou vargasvilianamente imbecil. Mas se eu não me suicidei (com que tristeza o confesso, Ricardo!) é porque não tive coragem. Todas as vezes que encostei o cano do revólver ao ouvido, a minha mão tremeu. Não tive coragem, fui covarde. Por isso, ainda vivo e ainda sofro.

Mas você, se esquecer que é um artista, um poeta antes de tudo, integrando-se na sua profissão de advogado, poderá ser feliz.

Resolva o seu caso sozinho, Ricardo, ouvindo apenas a sua ânsia de felicidade.

Daqui a dias estarei aí, para aplacar a fúria do Gomes, com sensacionais entrevistas.

Releu a carta: notou que escrevera *ela* com E maiúsculo. Riscou. E escreveu *ela*. "Não merece mais do que um *e* pequeno." E olhando da janela o mar brincalhão, estudava o caso de Ricardo Braz.

— Coitado! Talvez seja infeliz. Talvez seja feliz. Que tente. Sempre é uma grande coisa poder tentar ser feliz. Eu nem isso fiz, imbecil que fui...

Com o jantar, vieram os jornais da noite.

Paulo Rigger filosofou:

— Só o estômago não tem nada a ver com as nossas tragédias. Continua a exigir comida da mesma maneira.

Achava que a consciência andava de acordo com o estômago. E garantia a si mesmo:

— Um rico homem ladrão deita-se com o estômago satisfeito e dorme o sono do mais inocente filho de Deus. Mas o pobre, que foi para a cama com o estômago a dar horas, esse desgraçado não conseguirá conciliar o sono, com remorso de não ter roubado...

E se atirou ao jantar.

Leu os jornais. O povo estava aborrecido, porque o governo não queria dar aos clubes carnavalescos a "ajuda" de praxe.

Paulo riu:

— País do Carnaval! País do Carnaval! Eu se fosse presidente ou ditador, decretaria um Carnaval de 365 dias... Adorar-me-iam...

As luzes, na cidade, plagiavam as estrelas. Uma grande lâmpada elétrica metia inveja à Lua. Anúncios luminosos ensinavam remédios aos doentes ricos.

Passavam automóveis. Gente rica que ia aos teatros.

— Uma esmola pelo amor de Deus!

A mulher magra, cadavérica, tuberculosa ambulante, amamentava um filho pequenino. A fome sambava nas suas faces.

Paulo Rigger deu-lhe uma nota, numa grande ansiedade de ser bom.

Os grandes automóveis continuavam a passar.

— Deus lhe faça muito feliz... lhe pague em felicidade...

— Impossível, minha irmã! A infelicidade nasceu comigo e só a morte me livrará dela...

— Quem não tem fome não conhece a infelicidade, meu senhor.

O anúncio de um remédio aproveitava a frase de Cristo: "Nem só de pão vive o homem. Tomai Forçol!". Paulo Rigger repetiu:

— Nem só de pão vive o homem... Mas onde encontrar a felicidade para tomar?

11

O ROMPIMENTO, INEVITÁVEL, DERA-SE. O Gomes briga-ra com Pedro Ticiano. Os demais, num gesto de solidariedade, acompanharam Ticiano, apesar de reconhecerem que o diretor comercial do *Estado da Bahia* tinha alguma razão.

Quando Paulo Rigger chegou do Rio, José Lopes contou-lhe o caso:

— Avalie que nós conversávamos sobre o Carnaval. Ricardo afirmava ser impossível escrever hoje um conto de Carnaval com alguma originalidade. Sempre a mesma repetição. Um pai dá inteira liberdade à filha e num carnaval encontra uma máscara atraente, leva-a para um quarto e, quando a despe, reconhece a filha. É natural que, em vez de filha, pode ser a esposa, a irmã, a avó... Mas sempre a mesma coisa...

— Sim.

— Eu apoiava Ricardo. Ticiano comprometeu-se a fazer um conto carnavalesco original. Apostamos. E no outro dia...

— O que foi que teve?

— O *Estado da Bahia* publicou o conto que deu lugar ao rompimento.

— Original?

— Originalíssimo. Mais do que isso, imoral. Sabe o conto que

Ticiano escreveu? Um viúvo tinha três filhos. O primeiro, já rapaz, frequentava uma Academia e alguns campos de futebol. O segundo não era um filho, era uma filha. E o mais moço, garoto de uns quatorze anos, internara-o o pai num colégio. A filha, educada à americana, usava e abusava da liberdade que lhe davam. Vem o Carnaval. Ticiano descreveu maravilhosamente a "festa do instinto". O velho mete-se numa máscara e sai para a pândega. A família toda já saíra. Só o filho mais moço devia estar dormindo no internato. Num baile onde se jogara, o viúvo vê um lindo pierrô. Formas perfeitas, divinas... Dançaram, beberam, conversaram. Meia-noite dirigiram-se para um aposento. O velho, repentinamente, suspende a máscara da sua companheira e reconhece, horrorizado...

— ... a filha? Igual aos outros!

— Não, homem. O filho! O que estava interno. Fugira do colégio, alugara uma fantasia, e viera dançar...

— Quá, quá, quá!

Gomes danou-se quando leu o conto publicado. "Uma coisa homossexual que desmoralizava o seu jornal." Discutiram. Ticiano zangou-se e resolveu sair. Quisemos conseguir as pazes. Gomes nos tratou mal. Saímos também, solidários com Ticiano.

— Que cachorro, aquele Gomes! Afinal, deve tudo o que é a você, José Lopes. Quando só tinha a *Bahia Nova* você o sustentava. E agora...

— E Ticiano, que deu nome ao *Estado da Bahia*?

— Cachorro!

— Canalha!

— Eu sempre disse que ele não prestava — lembrou Jerônimo.

— E as entrevistas que eu consegui no Rio, que devo fazer delas? Publicar noutro jornal?

José Lopes achava que devia mandar as entrevistas para o Gomes. "Nem isso a gente deve querer dele..."

— Ora essa! Eu vou ao Rio às minhas custas. Realizo depois umas entrevistas. Por que motivo elas são do A. Gomes?

— Você foi com o fito de realizá-las para ele. Mande.

— Bem, vou mandar. Você, José Lopes, sempre o mesmo sujeito bom.

Jerônimo informava:

— Agora o *Estado da Bahia* é dirigido por um jornalista cheio de moralidade que veio do interior.

— E os redatores?

— Gente daqui mesmo. Está horrivelmente mal escrito...

— Fará sucesso. Para a Bahia só um jornal assim...

— O Gomes, eu o vi outro dia, cada vez mais gordo. Enriquece, o canalha...

— Inteligente...

— Mas analfabeto até ali.

— Acabará Governador do Estado!

— Se acaba.

Uma preta, na rua, rebolando as ancas, gritava:

— Amendoim torrado! Acarajé e abará!

E, mais longe, um garoto berrava:

— O *Estado da Bahia*... Olha o *Estado da Bahia*. Artigo sobre a carestia da vida...

A imagem de Maria de Lourdes apagava-se aos poucos no pensamento de Paulo Rigger. Ele sentia, entretanto, que, mesmo conseguindo esquecê-la, jamais reconstruiria a sua vida. Jamais tomaria um sentido, marcharia para um fim, na existência. Para que vivia, afinal? Sentia a sua vida parada como as águas de um lago que não tem, como os rios, um fim, o de correr até o oceano. Mas ao contrário das águas de um lago, apesar de parada, a sua vida não era serena. Acompanhava-o sempre uma insatisfação enorme. A necessidade de ser feliz, ou pelo menos sereno. De viver sem desejos, sem sonhos, como Pedro Ticiano.

Já que não encontrava o sentido, o fim da existência, que, pelo menos, encontrasse a serenidade. Que ficasse indiferente, sem desejos. Mas até isso sentia impossível. A tortura de procurar a felicidade não o largava. Não conseguira, como Ticiano, endeusar a dúvida. E tinha horas horríveis. Na chácara, trancado no seu quarto, andava de um lado para outro numa vontade enorme de acabar com tudo aquilo.

E quase sempre terminava por tomar o automóvel e ir para a casa de Ticiano conversar.

Ticiano já não saía. Quase completamente cego, mal podendo caminhar pela casa. Ajudava-o uma neta, garota de treze anos que fugia mal avistava Rigger. Aqueles dois homens conversavam muito. Pedro Ticiano, *blagueur*, ria da insatisfação de Paulo Rigger:

— Por que você não chega à religião, rapaz?

— Sei lá! Talvez chegue mesmo...

— Ora, Rigger, deixe disso. Procure viver para a dúvida. Viver para o sofrimento. Para a própria insatisfação. Em vez de combater a dúvida, adorá-la. Eu duvido de tudo.

— Até da dúvida?

— Principalmente da dúvida...

— Eu sei, Ticiano, que você achou a solução do problema. Por que você a guarda tão avaramente? Por que não no-la ensina?

— Eu tenho dito tantas vezes! A solução é não querer solucionar...

— Blague...

— Então é...

Pouco se encontravam ultimamente. Paulo Rigger, ensimesmado, só procurava Ticiano. José Lopes, bebendo muito, enterrado entre livros de filosofia, não trabalhava e mudava constantemente de pensão. Cada vez que saía de uma, ia para outra pior. Magro, insatisfeito, odiando a vida, lia cada vez mais, a ver se, entre as páginas de Kant e de São Tomás, encontrava a felicidade.

— Só na filosofia...

Mas Ricardo Braz discordava:

— Só no amor, no casamento...

E Ricardo Braz casou-se. Paulo Rigger e José Lopes serviram de testemunhas. Paulo oferecera-lhe a fazenda para passar a lua de mel. Depois iria para uma cidadezinha do interior longínquo do Piauí.

— Infeliz — murmurava Ticiano.

Jerônimo Soares libertava-se aos poucos da influência de Pedro Ticiano. Começava a ser feliz. Passava as noites com a rameira que encontrara naquele dia com Pedro Ticiano. Fazia projetos de morar com ela na mais completa felicidade... Aparecia raramente. Mas, nos dias em que visitava Ticiano, botava abaixo todos os seus sonhos ao ouvir as blagues do amigo.

E pensava em ser como Pedro, um indiferente, superior, mau, destruidor de ilusões.

À noite, porém, entre os braços dela, esquecia Ticiano. E ao seu pensamento voltava a imagem de uma casinha, muito amor, muito carinho, o sorriso bom dela, a mais completa felicidade. E lutava contra a influência de Pedro Ticiano. Temia não poder vencê-la. Se não a vencesse, seria infeliz toda a vida... Nunca realizaria os seus sonhos, nunca teria coragem de ser feliz...

E Pedro Ticiano que achava aquilo tudo tão ridículo...

Paulo Rigger andava à toa. E quase se choca com dona Helena, que, saltitante, vestido novo, cumprimentava-o:

— Oh, doutor Paulo! Como vai?

— Vou mais ou menos... E a senhora, dona Helena?

— Bem. Não como o senhor...

E toda curiosa:

— E Maria de Lourdes, doutor Paulo, tem visto?

— Não, dona Helena. Não sei que fim levou...

Dona Helena sabia. Maria de Lourdes chorara muito com o rompimento. Mudaram-se. Depois, haviam-lhe contado, a madrinha arranjara uma cadeira de professora no interior. E viajaram...

Rigger, muito pálido, despediu-se:

— Adeus, dona Helena, adeus!

— Oh, doutor Paulo! Pelo amor de Deus... Que pressa! Vamos conversar um pouco... Eu agora moro em casa minha. Quer ir até lá, conversar?

Paulo Rigger foi. Deu-lhe uma vontade repentina de possuir aquela mulher. Ela tinha qualquer coisa de comum com Maria de Lourdes. Talvez tivesse a sensação de possuir a sua ex-noiva, quando apertasse entre os braços a vizinha de quarto. E sentiu, de fato, essa sensação esquisita. Parecia-lhe apertar Maria de Lourdes, quando abraçava Helena.

E Paulo Rigger voltou a sofrer intensamente.

Tornara-se difícil encontrar qualquer dos amigos. Ricardo, casado, estava na fazenda que ele lhe cedera para a lua de mel. Paulo Rigger sentia que Ricardo se afastaria completamente deles. Tentara a experiência a ver se conseguia a felicidade. E no Piauí, na cidadezinha do interior, vivendo a sua experiência, vivendo o seu burguesíssimo amor, não queria naturalmente recordar-se dos amigos que negavam a felicidade do casamento.

Invadiu-o uma alegria enorme quando, em uma tarde de sol intenso, encontrou José Lopes, que lia uma obra de Freud ao mesmo tempo que tomava um cálice de vermute.

— José!

— Olá, Paulo! Sente-se.

— Lendo sempre, José Lopes?

— É verdade...

— Disposto a encontrar a felicidade na filosofia?

— E o que será a felicidade, Rigger? Será a alegria de todo dia, a dor de toda hora? Você bem sabe que essa felicidade não nos satisfaz.

— Talvez seja a serenidade, a indiferença de Pedro Ticiano.

— Não acredito. Pedro não é feliz. Garanto que ele sofre uma tragédia intensa. Muito orgulhoso, não conta nem aos amigos.

— Acho que não. Pedro colocou-se acima de tudo. Acima da própria vida. É superior. Não sente as alegrias e as dores quotidianas.

— O homem que não sentisse as alegrias e as dores quotidianas seria o homem sereno. Mas esse homem ideal não existe. Ticiano sente também... Principalmente as dores...

— E a felicidade, o que é?

— Talvez seja o encontrar uma consolação na vida...

— Como?

— Um sistema filosófico, uma religião...

— Pode ser. A mim só falta tentar a religião.

— Você fracassará na religião também...

— Por quê?

— Porque a religião só satisfaz quando chegamos a ela pela filosofia. A não ser assim...

— A não ser assim...

— ... pode-se sentir a beleza da religião, a poesia, mas a gente se saciará como se sacia de uma mulher... Não conhece as bases, os porquês...

— Entretanto, o povo, os homens ignorantes, que nem sabem o que seja filosofia, sentem-se felizes na religião.

— Os ignorantes, sim. Mas você é um homem superior.

— Que desgraça se ter um pouco de inteligência! Eu daria toda a minha fortuna em troca da ignorância de um pobre-diabo desses.

— Velha aspiração, meu amigo, de todo homem inteligente.

Pediram outro vermute. José Lopes continuou:

— Eu tenho um romance pronto sobre esse assunto, Paulo...

— Tem? Quando sai?

— Mas não posso publicá-lo. Cadê dinheiro?

— Eu financio a edição... Mas vamos tratar logo disso.

Paulo Rigger pagou a despesa. José Lopes, metido numa roupa surrada, muito magro, era a imagem da vida de todos eles.

— José Lopes, por que você não vai morar em minha casa? Eu vou mandar preparar um quarto para você...

— Não, Rigger. Deixe-se de trabalhos...

— Vou mandar. E amanhã você se muda.

— Não, senhor. Eu não sei viver em casa de família. Não vou, decididamente.

— Você...

No quarto imundo da pensão barata, José Lopes pôs em ordem os originais do romance. Sem título ainda. Vasculhou o cérebro atrás de um. Escreveu: *Os doentes de insatisfação*. Leu. Não gostou. Riscou e escreveu: *Os mendigos da felicidade*.

Na última página, em vez do clássico *Fim*, lia-se *Terminou*. José Lopes sorriu. Passou o lápis sobre o *Terminou*. Substituiu por *Principiou*. Ficou cismando em que ninguém compreenderia que, só depois de terminado o livro, de terminadas as experiências, de desiludidos todos de encontrar o sentido da vida, esta começava. Principiava a tragédia de todo dia...

— Aliás — pensava José Lopes — o romance não será compreendido. Quem o ler não entenderá. É a história de poucas almas. Nem o físico dos meus personagens eu descrevo... Eles só têm sentimentos...

Isso mesmo repetiu a Paulo Rigger, quando a caminho da tipografia.

— Falta, no meu romance, o sentido de humanidade. É inteiramente pessoal. A nossa vida... Ninguém ligará para ele...

— Sinal de que é um bom livro.

Quando deixaram a tipografia, era noite. A tarde morrera sem clamor, a repetir o que na véspera fizera e o que faria no dia seguinte.

Numa igreja, rezavam. A oração se elevava como uma súplica, uma grande súplica.

— Eu não sou ainda um "mendigo da felicidade", José... Se fosse, já estaria ali a rezar...

— A religião é ridícula. Entretanto, eu sinto uma necessidade enorme de crer...

— E por que não se converte?...

— Eu não me converterei. Talvez chegue à religião. Se chegar, muito bem...

— Você chegará a tomista...

— Sim, encontrarei as bases da religião.

— Eu acho, como Ricardo, que só as coisas naturais satisfazem. Só o instinto pode nos levar à religião. A religião não pode ser explicada, tem que ser sentida. O instintivismo (esse instintivismo não tem nada de materialista, como você vê) é que me poderá levar à religião...

— A qual? À de Freud?

— Não. À de Cristo. Mas à de Cristo sem artifícios...

— Você está a fazer blagues... Já passou esse tempo...

— Não. Eu estou sendo sincero...

O romance de José Lopes não fez sucesso. Pouca gente leu. Os críticos não falaram dele. A edição ficou nas livrarias. E ninguém compreendeu o grito de desespero que havia naquele livro. Os católicos achavam que o livro atacava a religião. Os materialistas diziam que os heróis do livro marchavam para o catolicismo. Os inimigos de José Lopes espalharam que o livro era comunista.

O Brasil continuou o mesmo. Não melhorou, nem piorou. Feliz Brasil, que não se preocupa com problemas, não pensa e apenas sonha em ser, num futuro muito próximo, "o primeiro país do mundo"...

Ricardo Braz voltou da roça com a esposa. Ruth, mais gorda, mais mulher, encostava-se ao ombro do marido, muito lânguida.

Paulo Rigger olhou Ricardo nos olhos a ver se encontrava o micróbio da saciedade. José Lopes, que o entendeu, segredou:

— É cedo ainda.

Visitaram Ticiano. Pedro comovia-se. Parecia-lhe ser a última vez que via Ricardo.

— Você vai para o Piauí. Quando voltar, não mais me encontrará... Não existirei mais...

— Deixe disso, Ticiano.

— É a verdade. Sinto-me fraco. Mas, felizmente, eu ainda tenho vocês...

A conversa descambou para o livro de José Lopes.

— Formidável! — acha Ricardo Braz.

— É que a tragédia de vocês todos está em mim. O fracasso de Rigger na carne e no sentimento. O de Ticiano no ceticismo. O fracasso que você, Ricardo, terá inevitavelmente na vida burguesa que vai levar...

— Veremos...

— Você pensa que eu fracassei? — interrogou Ticiano.

— Isso de você se colocar sobre a vida é um fracasso. Você não venceu na vida. Ficou espectador... Fracassou.

— Talvez... Talvez...

— É a minha própria tragédia. Porque eu sei que nada me satisfará e tenho medo de ficar como você, Ticiano. É-me impossível ficar indiferente à vida. Terei que sofrer sempre...

A neta de Ticiano trouxe café. E sorveram aos goles, lentamente, num gesto de cansaço, o líquido negro...

12

JOSÉ LOPES DESPEDIU-SE LOGO. Jerônimo Soares acompanhou-o. Paulo Rigger ficou. Queria demorar mais tempo com Ricardo Braz que partia, aventureiro da felicidade, para uma cidadezinha melancólica.

— Por que você preferiu ir pelo interior da Bahia? Não seria melhor a viagem num navio? — interessava-se, triste à ideia de que o amigo viajava para longe deles.

— Não. Pelo trem é mais interessante. Vou até Juazeiro. Passarei para o Piauí. E ficarei...

— Você vai fazer uma falta...

E Paulo Rigger ficou a olhar o trem imóvel. Chuviscava. Ruth, metida num grande mantô, quase desaparecia.

Fez graça:

— Eu tenho mais direito a Ricardo. Sou esposa... Os senhores são apenas amigos.

E o trem imóvel dava uma sensação de angústia inexplicável.

Ruth continuava, os braços passados em torno do pescoço do marido:

— E, demais, eu vou fazê-lo feliz... Curá-lo da literatura...

— Diz bem, dona Ruth, literatura. A vida da gente é unicamente literatura.

E como que falando para si:

— E quem conseguirá curar-se?

O trem apitou. Havia no prolongado e fino assobio do trem qualquer coisa de muito saudoso que angustiava.

— Adeus, doutor Rigger.

— Adeus, dona Ruth.

— Paulo...

— Ricardo...

Abraçaram-se longamente. E o grande trem imóvel, indiferente.

— Um abraço em José, outro em Ticiano.

E, baixinho:

— Vou ser feliz, Rigger.

— Seja...

Depois o trem começou a andar. Ricardo, na janela, dava adeus com a mão. Paulo Rigger, parado, olhava-o. Um amigo a menos...

Ficou só na plataforma.

— Coitado de Ricardo! Como vai ser infeliz quando se saciar.

E, afinal, se ele tivesse razão? Se a felicidade se escondesse no casamento? Se assim fosse, Rigger tinha deixado fugir a felicidade. Estivera tão perto... Bastaria ter vencido o convencionalismo. Mas até nisso ele fracassara. Ele, que em Paris vivia dizendo blagues, insultando a sociedade, não tivera coragem de romper com ela. Deixara talvez escapar a felicidade...

Ter uma esposa, muito carinho, um filho pequeno com quem brincar, criar galinhas e ciumar. Felicidade...

Quem sabe?

E, caminhando para o automóvel, Paulo Rigger gargalhou longamente.

Alegria? Quem sabe? Talvez fosse tristeza...

No automóvel, quase deitado, ele continuou os seus pensamentos.

Depois, quisera suicidar-se. Encostara ao ouvido, numa tarde cinzenta, tarde própria para suicídios, o revólver. Mas faltara coragem. Tivera um medo incrível da morte... Por quê? Não compreendera ainda... O sobrenatural não o intimidava. Ele só acreditava na vida do corpo... Por que não se matara?...

O automóvel rodava sobre o calçamento molhado. Garotos jogavam futebol apesar da chuva. Teve vontade de mandar o chofer passar sobre aquelas crianças. Mataria todas. E pensava isso numa grande bondade muito humana. "Impedirei que sofram. Mas ninguém quer deixar a vida..." Todos se agarram a ela ferozmente. Até os que, como ele, fracassados, não tinham nenhuma esperança (esperança nossa de todo dia!) de alcançar nem os restos da felicidade...

Entretanto, ele se agarrara à vida. Não a quisera largar. O revólver tremeu na sua mão, naquela tarde cinzenta, tarde de suicidas...

E pensou no grande trem em que Ricardo se fora. Para tão longe, o amigo...

— Nós fomos os mosqueteiros da felicidade. Tentamos juntos a aventura. Eu fracassei. José Lopes sempre foi um fracassado. E Ricardo, em vez de ficar conosco, a viver a nossa tragédia, preferiu tentar também encontrar o sentido da vida...

Inquietação... Necessidade de um fim. Por quê? Por que aquela dúvida? Para que aquela insatisfação?

— Literatura...

E a voz de Ruth soava-lhe aos ouvidos, cantante.

— Vou ser feliz (a esperança da voz de Ricardo).

— Seja... (a desilusão da sua voz).

Coitado! E quando se saciasse? E quando sentisse que não bastavam as alegrias de sempre e as tristezas de sempre? Seria uma tragédia horrível. Qual seria o fim de Ricardo? Tão bom, tão sincero... Triste fim...

Um garoto sujo, malvestido, mercava jornais. O Sol, rompendo as nuvens que enchiam o céu, dava um ar da sua graça. Naquela manhã o céu brasileiríssimo quisera imitar o céu de Londres. E estava cabotinamente plúmbeo.

Paulo Rigger chamou o garoto dos jornais. Comprou um. E começou a ler para afastar os pensamentos que o punham melancólico.

Comprara, por acaso, um *Estado da Bahia*. O artigo de fundo estudava o momento político. Falava em pátria adorada, em regeneração, em reerguimento do país, em honra. Paulo Rigger leu o artigo todo. No fim, a assinatura: A. Gomes.

O Gomes agora escrevia... Quem havia de dizer?... Mas o mundo dá tantas voltas... Gomes... Esse também nunca teria a felicidade. Inteligente, pensava que o dinheiro saciaria a sua insatisfação. E não sabia como o dinheiro aborrece às vezes. Ele, Paulo Rigger, tão rico, que o dissesse... O dinheiro serve apenas para satisfazer os instintos... E o instinto (por mais que Rigger tivesse vontade de negá-lo não podia) não é tudo na vida.

O automóvel rodava pela cidade. Paulo ordenou ao chofer que parasse em frente a um bar. Não encontrou José Lopes. E seguiu. E José Lopes? Quando ele o conhecera julgou encontrar o tipo do homem sereno. E depois, que diferença! Um homem cheio de problemas, incrivelmente infeliz... Sob aquela aparência de burguês, um sofredor, um desses heróis de tragédias absurdas. E agora, que já não acreditava em nada, passava o tempo a beber... Morreria tuberculoso, qualquer dia... Tipos infelizes, os seus amigos. Os únicos amigos, esses do Brasil. Os camaradas da França já os esquecera...

Dois anos de Brasil... E, afinal, o que ganhara em voltar à pátria? Todos os seus projetos tinham ruído. Não entrara na política, não fizera advocacia. Aqueles meses de jornalismo não lhe tinham dado nome. Perdera apenas o ceticismo que trouxera da França e ficara um inquieto... E, demais, nunca se identificara com o seu povo. Afastava-se cada vez mais dele. Olhou para os lados. Junto a um poste um cartaz exibia dizeres em grossas letras vermelhas:

— Augusto, vamos ver o que é aquilo.

O chofer aproximou o carro. Rigger leu:

Hoje — GRANDE COMÍCIO — Hoje no Terreiro
O major Carlos Frias falará sobre o atual governo,
fazendo a sua crítica. Discursos de alguns acadêmicos
pedindo a volta do país ao regime constitucional.

Paulo Rigger espantou-se:

— Que povo! Fez outro dia uma revolução e meses depois quer combater essa revolução! Que carnaval! E aquele major! Quando eu cheguei aqui, ele estava saudando os caravaneiros liberais em nome das prostitutas da Bahia. Hoje, ataca os revolucionários. Isso é mania de fazer discurso... País do Carnaval...

E o carro rodava por sobre o asfalto molhado.

Jerônimo Soares encolheu-se no fundo da cama. Conceição, toda devotamento, queria saber o que significava aquilo.

— Nada, menina, nada.

Ela encostou-se. Beijou-lhe os olhos.

— Está zangado comigo, filhinho?

— Não. Mas me deixe em paz.

Ela ficou a fitá-lo, a pergunta parada nos olhos e na boca.

E Jerônimo, no fundo da cama, silencioso. Acontecia aquilo toda vez que ia visitar Ticiano. Pedro, que sentia estar Jerônimo se afastando cada vez mais dele, ridicularizava todas as coisas ideais deste e do outro mundo.

— Porque, afinal, o amor é uma idiotice. Não acha, Jerônimo? A gente querer bem a outra pessoa que não nos pode dar senão o sexo... E o sexo, na rua, se aluga por qualquer preço. O amor é uma idiotice de românticos poetas esfomeados. Idiotice sem originalidade alguma. E só deve ter valor o que traz o selo da originalidade. Amar uma hindu que antes de se entregar deite sobre facas pontiagudas ou viver com uma cigana que nos sustente e nos conduza pelo mundo, sem pátria e sem Deus... Eu adoro os ciganos, mesmo porque eu sou um cigano intelectual. Mas arriar uma mulher medíocre, igual às mulheres que sempre existiram, bonitinha apenas, que pesa o amor, só o praticando enquanto ele é virtude garantida pela Igreja, uma mulher sem muitos vícios, sem degenerescências, é medíocre. Só os homens comuns amam mulheres assim...

— É... — apoiava Jerônimo, enrubescendo.

— E crer... Existem ainda homens inteligentes que creem. Crer... Acreditar que um Deus, um ser superior, nos guie e nos dê auxílio... Mas ainda há quem creia...

— Há...

— Olhe, Jerônimo, dizem que foi Deus quem criou os homens. Eu acho que foram os homens que criaram Deus. De qualquer modo, homens criados por Deus ou Deus criado pelos homens, uma e outra obra são indignas de uma pessoa inteligente.

— E Cristo, Pedro Ticiano?

— Um poeta. Um *blagueur*. Um cético. Um diferente da sua época. Cristo pregou a bondade porque, naquele tempo, se endeusava a maldade. Um esteta. Amou a Beleza sobre todas as coisas. Fez em plena praça pública blagues admiráveis. A da adúltera, por exemplo. Ele perdoou porque a mulher era bonita e uma mulher assim tem direito a fazer todas as coisas. Cristo conseguiu vencer o convencionalismo. Um homem extraordinário. Mas um Deus bem medíocre...

— Como?

— Um Deus que nunca fez grandes milagres! Contentou-se com multiplicar pães e curar cegos. Nunca mudou montanhas de lugar, nunca fez descer sobre a terra nuvens de fogo, nem parou o Sol. Cristo tinha, contra si, esta qualidade: sempre foi mau prestidigitador.

— E Cristo amoroso?

— Cristo, como homem, esteve sempre coerente. Pregava o perdão porque, então, a vingança era lei. Pregava a castidade porque, na época, a luxúria reinava. E, pelo menos para o exterior, ele foi um puro, apesar da perseguição de Madalena e de outras mulheres...

— E no interior?

— Sei lá! Pode ser até que Cristo conservasse a sua castidade... Em todo caso... O vício entre quatro paredes não é vício... É esta a lei do mundo...

— E amar romanticamente e crer romanticamente entre quatro paredes?...

— A imbecilidade é sempre a imbecilidade, onde quer que seja.

Jerônimo mudava de assunto.

— Você, Pedro Ticiano, é o homem de espírito mais forte que eu já vi. Com quase setenta anos, ainda é ateu...

— Ah, não tenho medo do inferno... E, no caso de ele existir, eu me darei bem lá...

— Você sempre foi meio satânico... É capaz de fundar um jornal oposicionista no inferno. Voltaire, você e Baudelaire no inferno... Que gozado!

Pedro Ticiano sorria, vendo que Jerônimo não resistia à fascinação da sua palavra. E gostava de derrubar os sonhos daquele homem medíocre e bom, que tinha o único defeito de querer intelectualizar-se.

Jerônimo, nesses dias, tratava mal Conceição. Às vezes não ia à sua casa. Parecia-lhe estar sendo seguido por Pedro Ticiano.

E naquela noite, enroscado no fundo da cama, influenciado pelas blagues de Ticiano, ele lançava olhares de tédio para tudo. Na cabeceira do leito um santo Antônio carregava um "Deus-menino" nos braços fortes.

— Conceição!

— O que é, Jerônimo?

— Tire aquele santo dali.

— Por quê, meu Deus?!

— Tire, já disse!

Ela obedeceu, cara de choro, beijando a gravura num pedido de perdão. A lâmpada elétrica ria uma gargalhada de luz no quarto.

— Apague essa luz, Conceição!

Ela fez a treva.

— Até entre quatro paredes o amor é imbecil...

A perna nua de Conceição sobre a sua perna. Os lábios carnudos dela sobre os seus lábios... O pensamento apagou-se pouco a pouco. Perna sobre perna. Lábio sobre lábio. Passou a esponja da carne sobre o cérebro. Um beijo longo, cantante, que chegou a ser ouvido fora das quatro paredes do quarto...

13

A IMAGEM DE MARIA DE LOURDES, que dormia no seu cérebro, despertou com a notícia que Helena lhe dera. E ele ficou meditando sobre o destino das coisas. Aquele professorzinho público que levava a vida a pregar moral e a ensinar o respeito à sociedade, tivera a coragem de romper com o convencionalismo. Ele, Paulo Rigger, *blagueur*, paradoxal, que ironizava tudo que cheirasse a convencional, fracassara ante a sociedade.

— Mas você tem certeza de que Lourdinha vai casar?

— Se tenho... Com o professor da cidade onde dona Pombinha ensina. Ele até tem um nome complicado. Se não me engano, chama-se Sebastião Hipólito, o seu rival.

— Meu rival... Meu rival...

Descansou a cabeça sobre as mãos. Helena esperava-o no melhor vestido.

— Já está na hora do cinema, Paulo!

— Vá você. Eu fico lhe esperando.

— Só se Georgina quiser ir comigo.

Georgina queria. Enfiou a roupa às pressas e saíram, muito elegantes, a espalhar sorrisos entre os homens enfileirados pelas calçadas.

Rigger passava os dedos por entre os cabelos, num gesto muito seu. Quisera não pensar. Ergueu a cabeça de sobre as mãos e levantou-se. Caminhou até a janela. Tentou distrair-se com o movimento da rua. Um caminhão de lixo recolhia o sujo do chão. A sua vida (não queria, mas o pensamento teimava) estava muito suja. Qual seria o lixeiro que a limparia? Qual?

Num automóvel que passou desenhava-se uma silhueta esguia. Esguia como ela. Talvez morena como ela. Tão linda, Maria de Lourdes... Os grandes olhos de névoa. Que tristeza, a daqueles olhos grandes... Aqueles olhos nunca lhe mentiram. Sempre lhe segredavam que Maria de Lourdes tinha uma grande aflição...

Se ela estivesse ali naquele instante, toda a sua dor, toda a sua tristeza desapareceriam. Ela desceria, numa carícia, numa carícia longa, as mãos finas sobre os seus cabelos revoltos. Ele se consolaria. Tão boa, Maria de Lourdes... E ele, Paulo Rigger, que se dizia degenerado e supercivilizado, deixara fugir a felicidade porque não tivera a coragem de lutar contra o convencionalismo. A convenção estava na massa do sangue, hereditária...

A felicidade de casar, de ter filhos pequenos, de viver burguesmente...

Mas ela o amaria mesmo? E como fora casar com o outro? Naturalmente, hoje ela desprezava Paulo Rigger. Ele se revelara um covarde, um medíocre, um infame. O outro, o professor, mostrara-se heroico. Sebastião Hipólito... Um nome de poeta... Um rapaz magro, com certeza, de longa cabeleira, que escreve versos líricos. Bom pai de família, no fundo.

— A felicidade só está ao alcance dos medíocres e dos cretinos.

E soava-lhe aos ouvidos, má, cortante, a gargalhada de Pedro Ticiano.

— Tudo isso é literatura... literatura... (a doçura da voz de Ruth).

Paulo Rigger deixou cair os braços num gesto de desalento.

— Ora, a vida...

Andou a passos lentos para o quarto. Pegou no chapéu e encaminhou-se para a porta.

— Já vai, doutor Paulo?

— Você está aí, Bebé?

— Estava. Helena não me leva para lugar nenhum. Apesar de eu já estar moça.

Alteava o busto, mostrando a saliência que os seios minúsculos faziam no vestido. Paulo Rigger sorriu cobiçoso.

— Venha cá, Bebé.

Sentou-a nos joelhos. As mãos emolduraram-lhe o corpo. Uma garotinha ainda, mas inteiramente pervertida. E os pensamentos de Rigger fugiram para Maria de Lourdes. Aquela sim, que, tendo deixado de ser virgem, continuara pura. Largou Bebé. E, violentamente, como quem quer se livrar de uma perseguição, saiu quase a correr pelas ruas mal calçadas.

— Uma casa de jogo?

— Sim. Que tem isso? Uma casa de jogo.

Paulo Rigger não podia mais de espanto. José Lopes sorria do seu ar descrente.

— Fiquei sócio de uma casa de jogo porque dá bons lucros. Não faço nada, a não ser vender fichas e tomar café com os parceiros.

— Você está louco, José...

— Por quê, Paulo?

— E o seu intelectualismo, as suas aspirações, tudo?

— Mas quem lhe disse que eu tenho aspirações? Eu a nada aspiro. Não tenho veleidades literárias. Considero impossível encontrar a felicidade. E, demais, eu preciso pagar a pensão...

— Você...

— Ora, Paulo, eu já me desiludi de tudo. Estou inteiramente convencido do que Pedro Ticiano diz. Os homens que estão fora do comum, os homens diferentes não têm finalidade. Vivem por viver... É o que eu faço.

— E a insatisfação? E a dúvida?

— Atitudes de espírito...

— Então você acha, como a mulher de Ricardo, que tudo isso é literatura?

— Exatamente.

— Bonito!

— Ora, Paulo, o fim é a morte, como afirma Ticiano. Só na morte reside a felicidade, porque só a morte nos livra das dores deste mundo.

— E você não se suicidou...

— Não se espante. Eu sou muito sentimental. Para que dar a vocês, você, Ticiano, Ricardo, Jerônimo, que me estimam, esse desgosto?

— Tem razão. Eu é que não me suicidei porque não tive coragem.

— Só por isso?

— Principalmente por isso... É verdade que eu pensei em minha mãe e em vocês... Mas a minha dor era grande... Fui um covarde...

— Tolices, Paulo. Deixe disso.

— Você já sabe que ela vai casar?

— A sua ex-noiva?

— Sim, Maria de Lourdes.

— Não me causa grande surpresa. Afinal, a vida é assim. Ela sentiu a necessidade de um marido. Arranjou-o, que tem isso de mais? Não foi você, foi outro.

— Eu é que sou um desgraçado. Deixei escapar a felicidade...

— Quem sabe se você não seria inteiramente infeliz? O amor, Paulo, não traz felicidade... Nada na vida a traz...

— Nem a filosofia, José?

— Até desta eu já descri. Eu pensei que a filosofia nos desse pelo menos a serenidade, que resolvesse os nossos problemas. Enganei-me. Uma desilusão a mais.

— A experiência é feita das desilusões...

— Eu possuo uma grande experiência...

José Lopes despediu-se. Fazia-se tarde e ele necessitava estar à frente da sua casa de jogo.

Paulo Rigger ficou a acompanhá-lo tristemente com o olhar. Magro, faces encovadas, tossira tanto no desenrolar da conversa... Viam-se raramente. José Lopes não aparecia, escondendo de todos a sua miséria... Rigger recordou-o: o mais confiante, o que mais esperava, o que pretendia ser feliz e se dizia sereno. Agora, fracassado, bebia pelos bares e dirigia uma casa de jogo, a caçar uma tuberculose disponível. Ele era bem o símbolo do fracasso de todos eles... Porque haviam fracassado lamentavelmente...

Todos, menos Jerônimo Soares. Ele, se não chegara à inteira felicidade, caminhava a passos de gigante para ela. Cada vez mais liberto da influência de Pedro Ticiano, resolvera morar definitivamente com Conceição. Alugara uma casinha e mobiliara-a decentemente. Mudaram-se num sábado à tarde. Conceição, muito contente, com uma alegria infantil a lhe bailar no rosto, arrumava a sua nova residência. Sempre pretendera possuir uma casa. Quando moça, em companhia dos pais, o casamento se lhe afigurava como o maior ideal. Depois, perdeu-se. E, prostituta, sofrendo, ela jamais se esquecera do seu sonho. Uma casinha... Um homem que a possuísse inteiramente, de quem ela fosse o amor e que constituísse para ela a felicidade.

Quantas vezes as companheiras de trabalho, marafonas sifilíticas e cínicas, não riram dos seus desejos!

— Quem cai nesta vida, filha, não se livra mais dela. Quando muito se amasia... Mas isso é pior. Um dia quer dar o seu corpo a outro homem e não pode. Tem o amásio a empatar. Quando, apesar de tudo, se entrega, toma bordoada e volta novamente para a rua.

E ela temia amigar-se.

— O corpo da gente não perde o costume de ser de muitos. Não se contenta com um...

Mas Conceição nascera para mãe de família. Nascera para se entregar a um e a um só. Assim, quando Jerônimo, sentimental e ávido de amor, invadira a sua vida, ela compreendeu que os seus sonhos se realizariam. Amou-o intensamente. Ele, em paga, era de uma bondade infinita.

— Um santo! — dizia às companheiras.

Havia dias, entretanto, em que ele estava de mau humor. Dizia-lhe coisas amargas, fazia-a sofrer. Ela chorava muito e ele se tornava estúpido. Esses dias iam rareando ultimamente. E ela se gabava de que seu amor o estava conquistando. Não sabia que a diminuição da influência de Ticiano sobre Jerônimo é que realizava o milagre. De fato, Jerônimo pouco procurava Ticiano. Temia envolver-se novamente no círculo de ferro das blagues daquele destruidor.

— O amor é uma imbecilidade...

Mas ele, Jerônimo, sequioso de amor, preferia ser imbecil a ser infeliz.

Encontraram-se em casa de Pedro Ticiano. O amigo piorara repentinamente e a notícia os levara a visitá-lo. Paulo Rigger, muito triste, muito sentimental, com um medo horrível de que Pedro Ticiano morresse. Ticiano ajudava-o com as suas blagues e o seu ceticismo a suportar a vida. Jerônimo Soares, com uma cara de Madalena arrependida, conversava, relembrando ironias de Pedro. Junto ao leito pobre onde o doente descansava os ossos e a pele, estava José Lopes, empunhando uma grande colher cheia de remédio. Pedro, ainda lúcido, procurava conversar.

— Vocês são muito bons! Não sei como lhes pague tanta bondade...

— Ora, Ticiano, deixe disso...

— É nosso dever. Nós lhe devemos tanto...

E Jerônimo Soares enumerava os benefícios que Pedro Ticiano lhes fizera.

José Lopes, ao ministrar o remédio, disse a Pedro:

— Aquele não lhe deve nada, Ticiano. Se você continua a ter influência sobre aquele rapaz, fá-lo-á um infeliz...

— Mas pelo menos ele ficará diferente da totalidade dos homens. Isto é o que eu quis fazer. Um homem diferente, digno de nós.

— Mas ele não dá pra isso. É muito bom rapaz...

— Muito bom. Uma grande alma...

— Isso faz que a gente perdoe a pequenez do cérebro...

— Coitado!

Pedro Ticiano interessava-se por Ricardo Braz. Já haviam recebido carta dele?

— Não. Ele, na sua felicidade burguesa, não nos escreve — respondeu Paulo.

José Lopes contestou:

— Nada disso... Ele não escreve porque está sendo infeliz. Ricardo é muito orgulhoso. Nós vivíamos dizendo que no amor não existe a felicidade; que ele se saciaria. Ele se saciou. Talvez a estas horas sofra horrivelmente. Mas o orgulho não deixa que ele desabafe com os amigos... Ricardo nunca confessará que errou.

— É isso mesmo — apoiava Ticiano, a voz cansada, fina.

— Meu pobre Ricardo...

— Você, Paulo, ficou sentimental depois da sua tragédia amorosa...

— É verdade. Eu hoje só tenho vocês, meus amigos. Se os perco, fico sozinho na vida e não sei o que acontecerá. E, em verdade, eu já os estou perdendo. José e Jerônimo não aparecem. Ticiano, doente. Ricardo, no Piauí.

— Eu quero furtar a vocês o espetáculo da minha miséria...

— Que orgulho, José!

— E Jerônimo oculta a sua felicidade. Deve ser assim... A gente deve sofrer e gozar sozinho.

— Não lhe reconheço hoje, José.

— É que eu, Paulo, estou sendo sincero...

— Paradoxo, agora?

— Em homenagem a Ticiano.

— Ah!

O relógio deu horas. E Ticiano reclamou o remédio:

— Eu, que nunca obedeci a ninguém, sou obrigado, no fim da vida, a obedecer a um relógio...

— Quero apresentá-lo ao meu amor.

— Sim, Jerônimo. Você deve libertar-se de Ticiano. Ele lhe estima. Pensou fazer aquilo tudo em seu benefício. Como se enganou... Você deve aspirar à felicidade acima de tudo. Ticiano, como adora a insatisfação e a dor, pensou fazer de você um novo *Ele*. Você seria eternamente infeliz. Ticiano é um tipo de exceção. Veio de outra época. Ele não sente a necessidade que sentimos nós outros, homens de hoje, de procurar a felicidade, o fim da existência. Ele vive porque nasceu. Não quer realizar, não quer vencer.

— Pode-se até dizer, não quis...

— É verdade. Está à morte. Grande Ticiano... Homens como ele vivem poucos em cada século... E morrem na miséria.

— Nasceu no Brasil...

— Neste país do Carnaval só as máscaras comuns sobem... Ele foi muito superior a nós todos. Conseguiu vencer a insatisfação. Não precisou solucionar o problema da sua existência. Colocou-se sobre a vida. Espectador...

— Mas nós...

— Nós temos que viver. E procurar não fracassar. Tentar a felicidade. Para não ficar vivendo a miséria minha e de José Lopes... Você precisa, deve, tem obrigação de ser feliz...

— Eu o serei, Paulo.

14

TOMOU O AUTOMÓVEL ÀS PRESSAS. Aquele telefonema tirara-lhe a calma. Pedro Ticiano estava à morte. Vivia os últimos instantes de uma existência agitadíssima. O filho acabara de chamar Paulo Rigger pelo telefone. O relógio grande, dependurado na parede, gritou com uma voz rouca as onze horas da noite. Paulo Rigger desceu para acordar o chofer. Empurrou a porta do quarto. Na cama de solteiro, apertadinhos, o chofer e a copeira dormiam o sono inocente dos que têm os instintos satisfeitos. Despertou-os. Confusão de desculpas. A criada a tapar o rosto, envergonhada, em vez de tapar as outras partes que exibia, opulentas.

— Vamos, Augusto. Isso não tem importância. Podem dormir juntos quando quiserem. Não me interessa. Preciso é sair agora mesmo. Tire logo o carro...

Chovia muito. Quis fazer uma frase e disse uma tolice:

— Parece que o céu chora o desaparecimento de Ticiano. A Bahia e os maus escritores do Brasil é que gozarão. São capazes de dar um baile...

O automóvel parou à porta de Jerônimo Soares. Bateu. De dentro só vinha o silêncio. Bateu novamente. Ninguém. Por fim, deu socos na porta, enraivecido, louco por alcançar a casa onde o amigo agonizava. Jerônimo apareceu a uma janela.

— Quem bate?

— Sou eu, Paulo Rigger.

Jerônimo veio abrir assustado.

— Que há, Rigger?

— Ticiano está morrendo. Vamos rápido.

Foi o tempo de Jerônimo enfiar as calças e um casaco. O auto arrancou de novo, rumando para a pensão onde residia José Lopes.

Depois de muito esmurrarem o portão enorme, apareceu a dona da casa, velhota gorda, mãos nos quadris:

— O que é que querem?

— Falar com o senhor José Lopes.

— Não veio ainda. E não tem coragem de aparecer antes da madrugada. O tratante deve-me dois meses de casa. Chega tarde da noite e safa-se pela manhã. Não sei o que faz... Tratante!

— Basta, minha senhora. Quanto lhe deve o José Lopes?

— Ora, quanto... Dois meses de casa a duzentos mil-réis.

— Eu pago.

E Rigger tirou o dinheiro da carteira. A mulher criou a amabilidade, no íntimo.

— Desculpe-me, senhor. Mas o senhor compreende...

E, contando o dinheiro, toda honestidade:

— Mas há duzentos mil-réis a mais.

— É um mês adiantado. Mas não diga nada ao José. E, agora, onde poderei encontrá-lo?

— Não sei, meu senhor. Ele nunca avisa onde vai...

Ficaram perplexos. Onde encontrar José Lopes?

— Talvez já esteja em casa de Ticiano...

— Não. O filho de Pedro disse-me que ele não chegara ainda e não sabia onde poder achá-lo.

E, de repente:

— Mas ele é sócio de uma casa de jogo. Você sabe onde, Jerônimo?

Jerônimo sabia. O automóvel rodou. Subiram longas escadas e num terceiro andar ouviram gritos de gente bêbada.

— Deve ser ali.

O porteiro, interrogado, explicou-lhe que José Lopes há dias não aparecia. Uma vez ou outra, na vida, vinha ao clube. Só beber... E o porteiro filosofou, como bom mulato brasileiro:

— Um tipo esquisito, aquele seu José Lopes. Sempre lendo e bebendo. Casos que começam assim eu já vi muitos...

Paulo e Jerônimo não ouviram, descendo as escadas.

— O jeito é desistir. Vamos nós.

— Vamos.

O automóvel arrancou pelas ruas esburacadas, levando os dois homens, e o silêncio triste, pesado.

Pedro Ticiano agonizava em plena posse de suas faculdades, apesar de bem perto de setenta anos. Belo, nas últimas horas da vida. Pele e uns tantos ossos, queimado pela febre, seu rosto, no entanto, tinha uma beleza estranha a rodeá-lo.

Paulo Rigger entrou com a cabeça baixa e apertando os lábios para não chorar. Amava aquele destruidor admirável que conseguira viver uma vida de oposição.

Jerônimo Soares abraçou Pedro...

— Então, como vai isso?

O moribundo respondeu, num fio de voz:

— Vai indo como você vê.

No quarto, uma pequena lâmpada elétrica chorava através do abajur uma luz esbranquiçada.

Ticiano olhou em volta:

— E José?

— Não o conseguimos encontrar. Mas talvez não demore. E, demais, temos tanto tempo ainda para conversar... Anos...

— Deixe disso, Jerônimo. Você quer me consolar? Eu sei que vou morrer. Mas não tenho medo da morte. Já vivi muito. Conheço a vida e os homens.

E, querendo rir:

— E as mulheres também.

O filho e a neta choravam. Paulo Rigger, calado, soluços presos na garganta, tinha um grande ar de idiota.

Pedro Ticiano sorria da morte. Formidável até o último momento. Morrendo tão admiravelmente como havia vivido.

Na cabeceira da cama, Paulo Rigger cismava, amedrontado, como se fosse ele o agonizante. E se houvesse céu e inferno, Pedro Ticiano estaria condenado. Talvez sofresse. Revoltava-o aquela ideia. E se chamasse um padre?

Passava as mãos pelos cabelos, a testa a arder. Chegou-se mais para perto de Ticiano. Segredou-lhe ao ouvido:

— E se houver uma outra vida depois desta, Pedro?

— Você quer chamar um padre, Rigger? Não faça isso. Eu não acredito. Faço questão de que se saiba que morro descrente.

Esforçava-se por sorrir. E continuou, a voz mais baixa:

— E, se houvesse, eu preferia o inferno.

E os últimos momentos foram chegando. A face de Pedro Ticiano contraía-se num ricto de dor.

— Eu morro! Eu morro!

— Ticiano! Ticiano!

Paulo precipitou-se.

— Responda-me, Ticiano. Qual é a solução do problema? Para que fim a gente vive?

— Vive-se por viver. A felicidade é tudo que não se consegue, o que se deseja...

— E o segredo para ser sereno?

— Não desejar. Chegar à suprema renúncia de não querer. Viver para morrer...

Caiu desfalecido. Jerônimo chorava como uma criança. O filho, murcho, num canto, espiava a cena dolorosa. O moribundo levantou a cabeça num esforço desesperado. Relanceou os olhos em torno de si, num adeus. Murmurou, numa voz longínqua, voz de túmulo:

— Que triste fim para a minha grande tragédia!

Tentou mais uma vez sorrir. Mas a boca resistiu dolorosamente. Os olhos fecharam-se. E Pedro Ticiano morreu. O filho abraçou o cadáver demoradamente. Jerônimo soluçava. E a neta começou a rezar uma oração desconhecida para Paulo Rigger, pedindo a salvação daquela alma. A criança orava alto:

— Padre Nosso, que estais no céu...

Paulo Rigger teve vontade de rezar com ela. E Pedro Ticiano, que morreu ateu! Saiu do quarto antes que os soluços rebentassem e ele se pusesse a rezar, ridiculamente, como a neta do morto...

Foram encontrar José Lopes, pela manhã, bêbedo num bar. Paulo sacudiu-o:

— José! José!

— O que é, Paulo?

José Lopes recuperava o domínio de si mesmo ao examinar a fisionomia transtornada do amigo.

— Pedro Ticiano faleceu.

— O quê?...

José Lopes sentou-se. Passou as mãos sobre os olhos. A bebedeira dissipou-se.

— E eu que não estava presente...

— Nós lhe procuramos, porém foi impossível dar com você.

— Que desgraça! Que desgraça!

— Imensa. Agora, o que se tem a fazer é tratar do enterro...

— É mesmo.

— Você, José Lopes, falará.

— Não irá ninguém ao enterro, a não ser nós.

Mas não aconteceu o que eles previam. Muita gente compareceu ao enterro. A notícia correra célere pela cidade.

— A má literatura patrícia — afirmava Paulo Rigger — estourará de alegria. Vê-se livre do seu maior inimigo.

Jerônimo recordava que Pedro Ticiano dizia ser a literatura brasileira uma subliteratura portuguesa. Os patriotas danavam-se. Deviam estar contentes. Talvez para se certificarem da morte de Pedro Ticiano, todo o jornalismo e toda a literatura da cidade acompanharam o seu enterro. Arrependeram-se, porém. O discurso de José Lopes, terrível, desancou todos os imbecis que impediram sempre Pedro Ticiano em tudo, que sempre o esqueceram e que, no entanto, estavam ali, hipocritamente. Pedro não precisava da presença deles. Não a rogara nem a agradecia. E entremeava o discurso com soluços. Às vezes, tossia também. E os literatos pensavam que ele não tardaria em seguir Pedro Ticiano.

Ficaram juntos, na mesa de um bar, até tarde da noite, relembrando o amigo morto.

— Quebram-se os últimos laços que me ligam à vida. Já perdi tudo. Perco agora os amigos que me restam.

Os outros dois não respondiam a José Lopes, envoltos num silêncio angustioso.

— Ricardo tão longe.

— É preciso avisar a Ricardo — lembrou Jerônimo.

Paulo Rigger encarregou-se de escrever ao ausente.

— Pobre Ricardo! Vai sentir tanto.

— Vamos perturbar a sua felicidade...

— Ou aumentar a sua infelicidade...

A vitrola, a um canto, gritava um samba em voga:

Esta vida é boa...

— O sujeito que fez esse samba é um estúpido muito grande. Esta vida é uma miséria...

Comentaram as últimas palavras de Ticiano.

— Eu sempre disse que ele sofria uma grande tragédia.

— A sinceridade do último momento...

— Ou a última blague?

— Eu cheguei hoje, Paulo Rigger, à serenidade de Pedro Ticiano. Já não desejo nada... Viverei assim até morrer...

Jerônimo não falava, pensando que ele tinha entre aqueles homens tão infelizes o crime de estar tentando alcançar a felicidade.

Deixaram o bar. A vitrola ainda gritava, sarcástica:

Esta vida é boa...

Compraram jornais a um garoto que tiritava vestido de farrapos. Todos os diários davam grandes notas sobre a morte de Pedro Ticiano. Muitos elogios. O *Estado da Bahia* estava com largas linhas pretas. Lamentava o desaparecimento "do grande literato que o dirigira durante algum tempo, elevando-o no conceito de todos". E continuava: "nós, que fomos seus amigos até a última hora, que não o abandonamos" e terminava "estamos de luto, como todo o Brasil, pela perda desse filho".

— Cachorro, aquele Gomes!

— Ora... O filho de Ticiano me mostrou hoje telegramas de pêsames da Associação de Imprensa e da Academia de Letras...

— Canalhas! Depois do inimigo morto, cortejam-no. Antes, com medo, fazem uma boicotagem completa...

— Mas eu vou escrever uns artigos sobre isso... Esmagá-los-ei — prometeu José Lopes.

Caminharam para as suas casas.

A Lua, no alto, não parecia uma mulher lânguida. Era apenas o satélite da Terra.

15

APESAR DE TUDO, PARECIA-LHE FALTAR alguma coisa. Depois que Pedro Ticiano morrera a sua ascensão para a completa felicidade realizara-se rapidamente. Esquecera as blagues do amigo, os seus conselhos, as ironias. Atirou fora, como um fardo inútil, os problemas. Deixou rapidamente de ser um insatisfeito. Aquilo não passava de uma atitude de espírito sob a influência de Ticiano. Recordava-o como um mito, um ser excepcional que tortura e se impõe. Ticiano, que o torturara, que lançara a dúvida no seu espírito, dominara-o com a força da sua bizarria, de seu todo esquisito de cético e demolidor. Jerônimo Soares voltou a sentir entusiasmo quando passavam pelas ruas, garbosos, soldados a cantar um chamado hino nacional. Começou novamente a achar graça nas coisas comuns da vida. Relacionou-se com os vizinhos. Discutia política com o sr. Brederodes Antunes da Encarnação, que opinava pela volta do país ao regime constitucional. Cumprimentava sorridente a velhota da esquina que fazia doces para vender na cidade. Tornou-se o modelar funcionário público de antigamente, de antes de conhecer Pedro Ticiano.

Era a escalada da felicidade.

E, além do mais, tinha Conceição. A antiga prostituta, muito carinhosa, enchia-lhe a vida. Amava-o como sabem amar as mulheres que venderam o seu corpo a multidões de homens. Essas mulheres são as requintadas do amor. As mestras do carinho. Conceição adivinhava-lhe os desejos. Dava-lhe essas felicidades quotidianas que os homens equilibrados conseguem e os outros tantos procuram. À noite, deitava a cabeça de Jerônimo sobre os seus joelhos e ficava horas perdidas a alisar-lhe o cabelo mestiço. Ficavam silenciosos, voluptuosos da felicidade. Ele já não tinha dias de mau humor. O mesmo, sempre. A mesma bondade grande. O mesmo sorriso confiante de quem se livrou da insatisfação.

Ruth, a mulher de Ricardo, é que falava certo. Tudo aquilo, todo aquele negócio de insatisfação, era literatura...

Hoje, como ele dava razão a Ruth! Literatura, tudo... Entretanto ele sentia que ainda lhe faltava alguma coisa. A sua felicidade, apesar de grande, não podia ser chamada de absoluta. Ressentia-se de algo. Jerônimo não sabia o que fosse. E por vezes, raras vezes é verdade, passava-lhe pela cabeça aquilo, perturbando-o. Faltava-lhe alguma coisa...

Na repartição, onde agora assinava o ponto todo dia, largava a pena e matutava. Amor, tinha. Ganhava bem. Boa comida, boa cama. Que precisava? Seria o diabo da insatisfação que o perseguia? Então seriam verdades as blagues e os paradoxos de Pedro Ticiano?

— Não. Esse negócio de insatisfação e de dúvidas é para Paulo e José Lopes. Comigo, não. Eu sou um burguês feliz. Nada de intelectualismo... Mas que diabo me faz falta?

O companheiro de banca despertava-o:

— Eh, mano! Está no mundo da lua?

— Não. Estou pensando cá umas coisas...

— Pensando? Você é poeta, rapaz?

— Qual! Deus me livre...

À noite, também, cismava. Enquanto não chegasse a completa felicidade não descansaria. E quase que se infelicita criando um problema. Nessa época Jerônimo Soares não desejava, não carregava aspirações. O querer ser o chefe de sua seção não chegava a ser uma ambição...

* * *

Conceição, os sentidos satisfeitos, jogou-se para um lado. As pernas abertas, estiradas, na serenidade de quem pôs a carne em dia. Jerônimo puxou a coberta até o pescoço e dispôs-se a dormir. Mas não perdera de todo o vício de conversar consigo mesmo, vício que herdara do convívio com Pedro Ticiano. E, antes de entregar-se ao sono, entregou-se aos pensamentos.

Afinal, ele não traíra os amigos. O próprio Ticiano dizia não haver defeitos nem virtudes. A questão se resumia em saber cultivar as suas virtudes como defeitos ou em rebaixar os defeitos a virtudes. Ele cultivava as suas virtudes como Ticiano amava os defeitos. As suas virtudes eram os seus motivos de prazer. Demais, todos os outros haviam tentado a felicidade. Fracassaram. Ele vencera.

E julgava, na sua ingenuidade, que fora apenas uma questão de sorte. Não se recordará nunca mais da frase de Ticiano: "Só os burros e os cretinos conseguem a felicidade...".

O pior era aquela coisa que lhe faltava. Achado aquilo, viveria feliz toda a existência. Que coisa seria?

— Nada — procurava convencer-se —, não me falta nada. Isso é resto da influência do pessoal.

O sono começava a pesar-lhe nas pálpebras. Encolheu-se mais e dormiu. Teve um sonho estranho. Recordou, no sonho, aquela noite em que viera da casa de Ticiano irritado. Fizera Conceição arrancar da cabeceira da cama a imagem de santo Antônio. Ela, por sinal, chorara muito...

Acordou sobressaltado. E resolveu o problema. O que lhe faltava era a fé, a religião. Sim, faltava-lhe Deus.

Alegre, sacudiu Conceição.

— Conceição! Amor, acorde!

A rapariga despertou estremunhada.

— Que é, Jerônimo?...

— Sabe que amanhã é preciso ir à missa?

— Hã?

Espantou-se. Fez uma cara de aborrecimento (acordá-la para bulir com ela), virou-se para o outro lado e voltou a ressonar.

— O jeito é ir eu mesmo...

Jerônimo Soares benzeu-se, cobriu a cabeça com os lençóis e dormiu o primeiro sono inteiramente feliz da sua vida...

Os caixeiros-viajantes que se aventuravam a romper até aquela cidadezinha do interior do Piauí deitavam opinião sobre ela:

— Cidade sem vida, sem movimento, de gente tola.

Tinham razão os cometas. Muita razão. A cidade típica do Norte do Brasil, aquela. Falta de movimento. Pequeno comércio entregue a árabes espertos. A farmácia, eterno lugar-comum das vilas brasileiras, reunião de conversadores: o coronel-prefeito, o médico, o professor, o juiz, o rábula, seu Leocádio dos Correios, toda a gente grada da terra. O armazém que vende até sedas, a loja que expõe nas suas vitrinas, nos dias da feira, carne de carneiro e gordas galinhas baratíssimas. A larga rua grande, onde se localiza a prefeitura e onde reside o médico. A praça da Matriz, onde se levantam as casas dos privilegiados. Só os homens eminentes da cidade moram ali. E mais algumas ruas, pequenas, estreitas, de poucas casas com muita gente. Nos confins da cidade, três casas onde vivem raras rameiras. Uma ausência absoluta de novidade. Cinema às quintas, sábados e domingos. Moças que fazem renda (ainda há moças que fazem renda) sentadas à porta das casas. Todos se conhecem. Falar da vida alheia é uma arte. Difícil arte, da qual é campeã sem rival dona Felismina, esposa do Juca Carpinteiro. Cidade onde até os menores têm personalidade. Poucos rapazes, muitas moças. Uma pureza romântica à 1830. Somente alguns rapazes conhecem mulheres. É que poucos já completaram vinte e um anos, idade em que os pais lhes permitem se desvirginem. É o Brasil na sua pureza maior!

A poesia dos cocos, ainda dançados nas casas mais ricas (dona Risoleta, a filha do prefeito, que viera do estudo na capital, ridicularizava os cocos. Tocava músicas novas, bárbaras, ao piano. O povo, em represália, vingativo, chama-a de doida...). O vigário com ar paternal que abençoa a todos, bom vigário pai de quinze filhos que já lhe deram alguns netos. O primitivismo e a beleza de uma religião, cheia de superstições, mais africana do que latina. A conversa invariável da farmácia, todo o dia, das oito ao meio-dia, de uma às seis da tarde. Jogar dama na porta de casa rodeado de curiosos, gozadores dos bons lances (seu capitão Teodoro era um bicho no jogo da dama!). Os raros casamentos dos rapazes que não emigravam para São Paulo em busca de fortuna e da vida.

Pouca novidade, muito pitoresco. Feliz cidadezinha onde as moças não leem Pitigrilli e não "bolinam" nos cinemas. Onde se pensa em casamento. Cidade em que Floriano Peixoto é adorado e se acredita que a Inglaterra teme o Brasil ("Quando vier a guerra com a Argentina..." — e o sr. capitão Teodoro larga a dama e descreve futuras façanhas). Onde os rapazes não sofrem de blenorragia e para quem as prostitutas são divindades inacessíveis. Ainda, parece incrível, há amor nessa cidade. Amor puro, sem desejos. (Com aquela a quem a gente ama não se tem pensamentos impuros: eis um meio infalível de se conhecer quando se adora verdadeiramente, segundo os rapazes dessa cidade...)

— A bênção, seu vigário...

— Deus o abençoe, meu filho.

Em plena rua, um rapagão dos seus dezoito anos, mão estendida, a receber com o maior respeito a bênção do representante do céu. Grande poesia deliciosamente ridícula do interior do Brasil...

E, lá no fundo, a redação de *O Cravo*, fechada por falta de notícias e de redator...

Mas nos dias de grande feriado nacional a cidade se movimentava. Ornamentava-se com bambus e bandeiras verde-amarelas. A filarmônica tocava no palanque da praça da Matriz, patrioticamente, orgulhosa da sua perfeição. A melhor filarmônica das cidades e vilas da redondeza. Na capital, poucas se lhe equiparavam. Assim mesmo o Juca Carpinteiro, que acumulava as funções de maestro, "não sabia, não"... Não punha a mão no fogo pela vitória de nenhuma "banda" da capital, se houvesse um desafio...

Quermesse. Turcos que tiram retratos instantâneos. Rapazes que conversam com as namoradas.

Grande feriado naquele dia. O benemérito prefeito (tão benemérito que a Revolução não conseguira derrubá-lo. Mudara-lhe somente o nome para interventor) organizara, juntamente com o capitão Teodoro, um programa de festas de causar espanto. Às três horas da tarde, falaria no palanque da praça o sr. dr. juiz e, à noite, o dr. promotor faria uma conferência sobre a data.

O promotor era Ricardo Braz. Já criara fama de bom orador, com alguns discursos que fizera em dias tão solenes como aquele. Nas festas recitava versos da sua lavra que faziam a delícia das moças solteiras e causava ciúmes a Ruth. Ricardo ia mesmo ressuscitar *O Cravo*. Gostava do nome do jornal: *O Cravo*, podia atacar, furar, cravo de ferradura, e podia elogiar, dizer bem, flor. Bom nome, sem dúvida. Pouco trabalho tinha Ricardo. Raros réus a acusar. Criava passarinhos. Conversava na farmácia. Amava a mulher. E sentia-se profundamente, inteiramente infeliz. Não nascera para aquela vida. A mesma coisa, a falta do inédito, martirizavam-no. Os amigos tinham acertado: no casamento ele não encontrara a felicidade. Fracassara a sua experiência. O seu amor transformara-se no hábito. O beijo da manhã, a conversa durante o dia, a briga por causa da comida, à noite juntos na cama. Ruth, sempre a mesma. Nunca lhe dera uma sensação nova, não lhe dizia coisas confortadoras. Amava-a brasileiramente, muito burguesmente, como uma digna senhora casada, sem arroubos e sem vícios. A calma em que viviam torturava Ricardo Braz. Decididamente ele não nascera para aquilo. A estupidez daquela vida — comer, dormir, fazer um discurso uma vez ou outra, conversar com gente ignorante...

Fracassara... A insatisfação, que pensara vencer, dominava-o completamente. E o desânimo vivia com ele. Passava dias silenciosos relendo os poucos livros que trouxera da Bahia. Ruth achava que ele "estava mudado".

— Você precisa, amorzinho, perder a mania da literatura...

— Já sei...

Gostava de passear pelas roças vizinhas, a cismar. Enterrara a sua vida. Qualquer dia desses seria juiz, não passaria disso, viraria um conspícuo juiz o resto da sua existência. Teria sido muito melhor se tivesse ficado na Bahia, com os amigos, a sofrer com eles a tragédia que os perseguia. Por vezes, começou a escrever cartas a Paulo Rigger e a José Lopes. Mas o orgulho impedia que ele as enviasse. Não confessaria a sua infelicidade a ninguém... Fracassara...

— A felicidade só está ao alcance dos imbecis e dos cretinos...

Quanta razão tinha Pedro Ticiano! Ele, Ricardo, havia discordado. Dissera que o sentido da existência se encontra no amor. Experimentara. Estava casado, amado pela mulher com um filho a nascer, ganhando relativamente bem, mas inteiramente infeliz.

Ele pensara que a felicidade quotidiana está ao alcance dos homens inteligentes...

Regurgitava a praça da Matriz. Todo o povo se reunira ali com as melhores roupas. Havia pau de sebo, quebra-pote, corrida de saco, discurso do sr. juiz, bênção na igreja e, à noite, a anunciada conferência de Ricardo Braz.

— Fala bem, o doutor promotor...

— E recita, menina, que é mesmo uma beleza...

Imitava:

"Quando você passa, ó gentil princesa..."

Grupos conversavam animados. Ricardo, sentado junto à esposa, todo entregue aos pensamentos, melancólico, não notou o juiz que se aproximava, íntimo.

— Olá, Ricardo!

— Oh, doutor Faustino! Então, daqui a pouco, temos o seu discurso...

— Você vai ver. Um formidável discurso. Daqui, só você e o médico me entendem. Os mais, uns ignorantes...

O povo reclamava a oração do sr. juiz. A filarmônica atacou o hino nacional.

Todo empertigado no velho fraque, raros cabelos brancos a desmoralizarem a calva doutrinal, erguendo as mãos ao alto o orador começou:

— Brasileiros...

E improvisou o discurso decorado na véspera. Aludiu às "barbas brancas do canhão" (velho canhão inútil da guerra do Paraguai, relíquia da cidade) e terminou beijando a bandeira, emocionado:

— Minha mãe! Minha mãe!

Estrugiram as palmas. Muitos abraços. Parabéns. Cumprimentos.

— Um belo discurso!

— Até a mulher do prefeito chorou.

O capitão levantava a ideia da formação de um tiro de guerra. Seria uma beleza. Quando viesse a guerra com a Argentina...

O juiz queria saber a opinião do "colega" Ricardo Braz sobre o discurso.

— Gostei muito. Estava muito bom...

Os garotos tentaram escalar o pau de sebo, seduzidos por uma nota de cinco mil-réis que balançava no alto. De um pote quebrado saiu um gato em disparada, louco, perseguido pelos moleques. Ricardo Braz olhava tudo aquilo com um grande tédio. Enterrara a sua vida...

— Por que você não vai conversar com o prefeito e com o juiz? Está aí como um urso...

E Ruth admirava-se do marido.

Ricardo encaminhou-se para o grupo. Falavam sobre a formação de um tiro de guerra.

— Aqui o doutor promotor será o presidente.

— Obrigado. O presidente deve ser o senhor prefeito.

— O doutor juiz, o secretário.

O médico seria o tesoureiro.

— E o doutor Ricardo, o orador...

— Apoiado.

Seu Leocádio dos Correios aproximou-se.

— Doutor Ricardo, chegou ontem uma carta para o senhor. Está aqui.

Letra de Paulo Rigger. Invadiu-o a impaciência. Notícias dos amigos. Iria saber deles. Mas teve que esperar muito. Depois que acabou a festa, houve bênção. Sermão do vigário sobre a castidade...

Trancou-se no quarto. Quando terminou a leitura da carta as lágrimas caíram-lhe dos olhos sujando a conferência escrita há dias. Morrera Pedro Ticiano... E morrera afirmando que a felicidade é não desejar... E ele, Ricardo Braz, que tanto desejara... Viver por viver... E ele que quisera viver para o amor... Infeliz... Infeliz...

Deitou a cabeça sobre a mesa, inteiramente desanimado. Invadiu-lhe os membros uma grande lassidão...

— A felicidade só a alcançam os imbecis e os cretinos...

— Toda vitória na vida é um fracasso na Arte.

E a voz de Pedro Ticiano soava-lhe aos ouvidos, metálica. Revia a figura do amigo. Alto, magro, sempre de preto, muito cético, a dizer paradoxos...

— Chegar à suprema renúncia de não desejar...

E Ricardo Braz chorou o seu fracasso.

Bateram à porta. Ele não respondeu. Bateram novamente.

— Quem é?

— Eu, Ruth...

— O que há?

— Você quer fazer esperar o prefeito e o juiz? Já está na hora da conferência. Vamos.

E Ricardo Braz obteve, aquela noite, um esplêndido triunfo com a sua patriótica conferência...

Depois, tédio...

A mesma coisa, sempre.

A Terra a girar em torno do Sol trezentos e sessenta e cinco dias.

Um dia, outro dia.

A Terra a girar sobre si mesma em vinte e quatro horas.

Dia. Noite.

Sempre a mesma coisa.

A maior tragédia: a tragédia da monotonia...

16

RÁPIDA, A TRANSFORMAÇÃO de José Lopes. Desaparecera por um mês. Inúteis as caminhadas empreendidas por Paulo Rigger, de bar em bar, a ver se o encontrava. José Lopes sumira. A casa de jogo fechara. A dona da pensão não dava notícias. E Paulo Rigger decidira desistir quando, uma tarde, o encontrou, bem-vestido, um ar mais sereno, saindo de um consultório médico.

Correu para ele, deitando abaixo uma infinidade de embrulhos que um respeitável pai de família levava conscienciosamente para casa.

— Alô, José!

José Lopes voltou-se. Envolveu Paulo Rigger carinhosamente nos braços.

— Ia procurar você.

— Você desapareceu. Tenho gasto as pernas em procurá-lo...

Paulo Rigger ficou a admirar o amigo. A face calma, sorriso nos lábios, teria ele encontrado o fim da vida?

— Você está outro... Inteiramente mudado... Calmo.

— Acha?

— Você esta apaixonado?

— Não. Felizmente.

— Que diabo então lhe aconteceu para você ficar assim?...

Você lembra aquele anúncio, não sei de que remédio? "Antigamente eu era assim" e via-se o retrato do homem mais ou menos doente; "cheguei a ficar assim" e o homem virava caveira; "hoje estou assim", graças ao tal remédio, e o homem estava gordo e forte. Você realizou o milagre do anúncio. Quando eu o conheci, você estava mais ou menos doente. Piorou depois grandemente. Hoje está como que curado...

José Lopes, sorridente, escutava-o.

— Com que remédio você se curou?

— Vamos a um bar? Lá conversaremos melhor.

— Vamos.

Cheio, o bar! Um rádio a torcer um jogo de futebol. Mulheres saltitantes dando sorrisos. Homens graves bebendo calmamente na alegria serena que dá a mais santa das virtudes: a imbecilidade.

Esconderam-se numa mesa do canto. Paulo Rigger não era o mesmo elegante de quando chegara da Europa. Não ligava para as roupas, cheio de problemas, todo subjetivado. Apesar disso as mulheres olhavam para ele. Pois o dr. Paulo Rigger não possuía grandes fazendas?

— Será que a filosofia...?

— Sim...

— Você se lembra de Pedro Ticiano, José Lopes? Ele dizia que a gente vive por viver. Que só se consegue uma calma, ainda que relativa, deixando de desejar. Ficando indiferente... Nada querer. Super-Buda. Ele chegou a esta perfeição. Nós, homens do nosso século, não idolatramos como ele a dúvida. Nós a combatemos. E combatíamos Pedro Ticiano. Todos nós tentamos encontrar o sentido da existência. O fim para que vivemos. A felicidade, se você quiser assim. Você dizia que ela, a felicidade, estava na verdade filosófica. Ricardo Braz contestava: que só o amor-sentimento podia nos mostrar a rota do porto. Porque só nas coisas naturais se encontrava o sentido da vida... Eu pensava como ele e procurei a felicidade no instinto. Fracassamos. Não falo de Jerônimo porque esse, medíocre, não é dos homens insatisfeitos. A insatisfação desses homens é apenas o reflexo da nossa.

— É...

— Nós fracassamos e você me disse, no dia da morte de Ticiano, que nada mais esperava da filosofia... Desistira...

— A gente também tem direito a dias de desânimo.

— Disse que não desejava. Que Pedro Ticiano, com o ceticismo de antes da Guerra, é que estava certo. Que a verdade é a própria dúvida. Que você estava com ele...

— Um dia de desânimo, repito. Nunca desisti, porém, de encontrar na filosofia forças para vencer a insatisfação, para resolver o problema...

— Encontrou?

— Encontrei. Basta a cultura filosófica para nos tornar serenos...

— A serenidade é a falsificação...

— ... da felicidade, já sei. Mas a felicidade absoluta não existe. Nem para os burros. Nem para os irracionais. Quanto mais para nós outros! O que é preciso é a serenidade. Serenidade que o casamento não deu a Ricardo Braz, que os instintos lhe negaram...

— Mas que, com o ceticismo, Pedro Ticiano, conseguiu.

— Mas afinal conseguiu com um princípio filosófico.

— O de não ter filosofias...

— Não deixa de ser uma atitude filosófica...

— Mas foi essa atitude que você tomou?

— Não.

— Então não compreendo como você possa estar sereno. Quem está com a verdade? Você ou Pedro Ticiano?

— Você fala daquela velhíssima verdade, que tem atravessado os séculos no fundo de um poço? Essa, meu amigo, continua lá. Eu, como dizia Ticiano, não a irei tirar. Deixo a outro a ridícula tarefa...

— Eu compreendo cada vez menos...

— É que a verdade é uma coisa muito relativa. Deve existir uma verdade particular para cada homem. Aquilo que lhe der a serenidade é para ele a suprema verdade...

— Quer dizer que qualquer sistema filosófico resolve o problema da nossa dúvida?

— Sim.

— Que coisa incrível!

— É questão de sentimento... Você tem necessidade de Deus, você chega ao tomismo. Fica sereno. A verdade filosófica do tomismo é a grande verdade para você...

— Você é tomista? Você sempre disse...

— Não. Eu cheguei ao polo oposto. Sou materialista...

— E a sua necessidade de crer?

— Em vez de crer em Deus, creio na humanidade. Quero a sua felicidade...

— Você é...

— ... comunista...

— Não diga...

— Verdade.

— Mas o comunismo tem inúmeros defeitos, José.

José Lopes tomou um ar sério de defensor e dispôs-se a replicar. Paulo Rigger gargalhou.

— Você está se divertindo às minhas custas...

— Sou incapaz disso.

— Então você está amando toda a humanidade?

— Como Cristo o fez... Buda também... E, quanto aos defeitos, o comunismo os possui. Mas as virtudes são em maior número...

— Mas você se igualará a todos os imbecis...

— Por ora, eles todos são superiores a mim...

— E a família?

— Eu não a tenho, você bem sabe.

Continuou:

— E, demais, é preciso acabar com os preconceitos do povo. Derrubar igrejas, derrubar ídolos, cortar cabeças. E o governo das elites?

— Elites de marinheiros...

— As de hoje representam as elites dos analfabetos e dos cretinos...

— E você acredita na humanidade? Nos seus sentimentos bons?

— Oh, não! Acredito nos sentimentos. Não no que se chama vulgarmente os sentimentos bons. Vamos elevar os maus. Cultivá-los.

— E o movimento espiritualista?...

— Simples reação...

— Eu sinto cada vez maior a necessidade de crer...

— O que não quer dizer que você sinta necessidade de crer num ser superior. Creia nos homens, nas coisas materiais. Lembre-se de que já pensei como você...

— Quer me converter? Eu não dou para comunista. Gosto de me vestir bem.

— E você é rico. Não tento a sua conversão. Você é um grande burguês. Deve nos combater...

— Eu, não. Que o mundo role. Eu cheguei à suprema infelicidade... Sou bem a representação da minha geração. A geração que sofre. Que assiste aos últimos suspiros da democracia e aos primeiros vagidos do comunismo. Geração traço de união. Geração do sofrimento. Estou perdido na noite da dúvida. Desapareço cada vez mais. Braços invisíveis me apertam. Eu, afinal, tenho necessidade de qualquer coisa...

— Eu compreendo perfeitamente.

— E sinto que essa serenidade de Pedro Ticiano e sua não me basta. Talvez só os meus netos resolvam o problema. Toda geração que inicia uma luta é uma geração que vai sofrer. Nós iniciamos a luta contra a dúvida...

O rádio berrava os milagres de uma santa que aparecera numa cidade do interior de Minas Gerais.

— Esse povo místico nunca aceitará o seu sistema político.

— Esse misticismo ajuda.

— Nós, brasileiros de hoje, sentimos milhões de taras dentro de nós. Nós sofremos por nossos avós e por nossos netos...

— A solução...

— Um suicídio geral...

Paulo Rigger calou-se, extenuado. Da sua testa larga escorria, frio, o suor. José Lopes, triste, perdia o olhar no fundo do bar.

— Esta vida...

Abraçou Paulo Rigger. Ia à casa de um camarada, um sapateiro. E segredou no ouvido do amigo.

— A gente deve arranjar um princípio, um ideal, para iludir-se, pelo menos. Eu me iludo com esse negócio do comunismo. Por isso fujo de você. Você me mostra a realidade e me carrega de tristeza. Eu agora estou até tratando da tuberculose que me quis pegar... Você vê.... Estou ficando calmo... Talvez fique até burro...

Paulo Rigger acompanhou-o com o olhar até o fim da rua.

Murmurou como um ator trágico:

— Infeliz...

Bebeu o conhaque.

— Infeliz...

Resolveu voltar para a Europa. Quando aportara ao Brasil, elegante, cético, demolidor, carregado de sonhos, pensara em realizar grandes coisas. Seria escritor conhecido, político eminente. Fracassara... Estava apenas um insatisfeito, infeliz, depois de ter sofrido uma tragédia amorosa e haver tentado suicidar-se. Voltaria a Paris, para esquecer. Quem sabe se não ficaria novamente calmo? Vivia num nervosismo intenso, ultimamente. Tratar-se-ia na Europa. Leria muito. Talvez a filosofia...

— Bolas...

A sua mãe opôs-se. Tinha chegado outro dia... Ele conciliou tudo. Ela iria também conhecer o Velho Mundo. Passou a manhã a descrever-lhe maravilhas. Ela convenceu-se. Combinaram que ele iria ao Rio comprar o necessário e, na passagem do navio pela Bahia, ela embarcaria.

Paulo Rigger, no Rio, sentiu-se mais aliviado. Não se recordava tanto, na intensidade de vida daquela cidade formidável, da sua tragédia amorosa. Maria de Lourdes voltava a dormir em seu cérebro. Apenas a dúvida de tudo, a insatisfação de sempre, a de querer um bem desconhecido...

Lia os jornais. Rapazes fundavam legiões fascistas, o partido comunista tomava vulto. Materialistas e católicos discutiam decretos do governo, tocantes ao ensino.

A insatisfação notava-se nas colunas dos jornais, a dúvida pesava na face dos moços.

— Acho que vai haver uma grande desgraça...

Os diários noticiavam que o povo corria ao interior de Minas Gerais onde uma santa curava. Minúcias. Detalhes voluptuosamente lidos.

Paulo Rigger tinha vontade de esganar a todos. Por que não se tornavam felizes? Não esqueciam problemas? Não esqueciam tudo? Não ficavam muito bons? Ele quisera ser bom. Ajudar a todos. Não podia. Odiava os semelhantes. Não lhes perdoava a imbecilidade...

— Eu fui o aventureiro da felicidade... Pobre dom-quixote!

— Que dia o senhor escolheu para viajar, patrão... Domingo de Carnaval...

E o preto carregador lamentava. Ele não ouvia, ensimesmado, soturno. Desceu. Chamou um táxi.

— Leve-me ao porto.

— A que horas quer estar lá, senhor?

— Dentro de quarenta minutos.

— Impossível — declara o chofer. — Em dia de Carnaval leva-se horas e horas a atravessar a avenida.

— Leve-me até onde puder. Irei a pé o resto do caminho...

Saltou do automóvel e começou a evitar a multidão alucinada. Sambava-se nas ruas. Paulo Rigger, com o chapéu amassado nas mãos, o cabelo revolto, os olhos abertos, enraivecido, ia abrindo caminho a socos e cotoveladas.

— Sai, diabo!

— Eh, meu branco, vamos sambá...

A mulata puxou-o. Os umbigos uniram-se. Ela dobrou-se, voluptuosa.

— Deixe-me, negra!
Arrancou dali, a romper a massa.
— Afinal, talvez este povo esteja com a razão. No Carnaval talvez esteja tudo...
— Com que roupa?...
E a mocinha histérica jogava-lhe lança-perfumes.
— Vá para o diabo que a carregue!
E notava-se ainda mais infeliz. Quando chegara da Europa, todo instinto, sabia sentir a carne. Hoje, era dúvida unicamente...
Alcançou o navio no último momento. Poucos passageiros, ingleses e argentinos a admirar a cidade que se vestia de treva. A noite se apossara do Rio de Janeiro. Paulo Rigger, no tombadilho, comparava a cidade carnavalesca, envolta em trevas, à sua alma. De repente, fez-se luz na cidade, que apareceu brilhante, livre das trevas. O navio afastava-se vagarosamente...
Paulo Rigger, nervoso, lábios apertados, olhou. No Corcovado, Cristo, braços abertos, parecia abençoar a cidade pagã. Tornou-se maior a tristeza nos olhos de Paulo Rigger. Levantou os braços num gesto de supremo desespero e murmurou fitando a imagem gigantesca:
— Senhor, eu quero ser bom! Senhor, eu quero ser sereno...

Lá longe, desaparecia lentamente o país do Carnaval...

Rio, 1930.

posfácio

Romance de deformação

José Castello

Jorge Amado tinha dezoito anos de idade quando enviou os originais de seu primeiro livro, *O país do Carnaval*, ao poeta e editor carioca Augusto Frederico Schmidt. Em sua livraria e editora, no número 27 da rua Sachet, no centro do Rio de Janeiro, Schmidt reservava uma famosa gaveta para guardar ficções e poemas inéditos, à espera de uma avaliação. A casa era ponto de encontro de escritores e intelectuais, como o diplomata Tristão da Cunha, conhecido por suas traduções de William Shakespeare. Remexendo a gaveta de Schmidt, o curioso Tristão encontrou os originais de *O país do Carnaval*. Levou-os para casa, leu e, entusiasmado, convenceu o editor a publicar o livro.

Anos depois, na mesma gaveta, o próprio Jorge Amado esbarraria com os originais de *Caetés*, o livro de estreia de Graciliano Ramos, naquele momento um escritor inédito. Leu e apaixonou-se pelo romance. Não pensou duas vezes: decidido a conhecer Graciliano — que naquele momento era prefeito de Palmeira dos Índios, no interior de Alagoas —, Jorge embarcou em um navio para Penedo, às margens do rio São Francisco. De lá, pegando carona em um carro da prefeitura, viajou até Palmeira dos Índios. Encontrou Graciliano em um bar, diante de uma grande xícara de café preto. Em *Navegação de cabotagem*, seus "apontamentos para um livro de memórias que jamais escreverei", lançado em 1992, Jorge Amado descreve Graciliano Ramos como um homem de chapéu de palheta e bengala, com a face magra, silencioso e sóbrio. "Parecia seco e difícil, diziam-no pessimista, era terno e solidário, acreditava no homem e no futuro", comenta. A imagem do escritor se tornou um modelo que o acompanhou até o fim de seus dias.

Muitos anos depois, em 1953, Jorge foi convocado para discursar no velório de Graciliano. Não conseguiu passar das primeiras palavras, enterrava um pedaço de si mesmo. Sempre o considerou seu primeiro mestre. As diferenças estéticas que os separam se esmaeciam em contraste com as semelhanças. A maior delas: o desejo de fazer uma literatura que exprimisse a alma brasileira. *Caetés* — livro que Graciliano escrevia desde 1925 — foi publicado pelo mesmo Schmidt em 1933. É a história trágica de um triângulo amoroso. O protagonista, João Valério, se apaixona pela mulher de seu sócio, Luísa. O sócio, Adrião, recebe uma carta anônima, que revela o caso secreto. Entra em desespero e se suicida.

A literatura tem uma grande vantagem sobre a existência: nela os amores não se excluem. Ao contrário de Luísa, que não conseguiu conciliar sua paixão por João Valério e por Adrião, nós, leitores, podemos gostar, ao mesmo tempo, de *O país do Carnaval* e de *Caetés*, e não estamos cometendo traição alguma. Formados no mesmo ideal de construção de uma identidade brasileira, Amado e Graciliano, apesar disso, tomam caminhos divergentes em relação à literatura. As feridas que os definem como escritores, porém, são as mesmas. Ambos estão marcados pela Revolução de 30, o golpe de Estado, liderado por Getúlio Vargas, que depôs o presidente Washington Luís e impediu a posse do presidente eleito Júlio Prestes. No Nordeste brasileiro, a revolução significou a derrocada dos velhos "coronéis", os poderosos senhores de terra, donos de extensas plantações de cacau, que mantinham trabalhadores em sistema de semiescravidão — como o próprio pai de Jorge, o fazendeiro João Amado de Faria. A revolução não pôs fim, apenas, à República Velha, que governou o Brasil desde a proclamação da República, em 1889. Também revirou nossa literatura e empurrou-a dos sofisticados manifestos estéticos dos modernistas de 22 para o nível bruto do chão.

No ano de 1930, preocupado com o futuro do filho, o coronel João Amado o enviou de Salvador, onde ele trabalhava como repórter, para o Rio de Janeiro, para que terminasse o ginásio. Desde muito cedo Jorge Amado era um rapaz desassossegado, que desafiava a educação austera do pai, fazendeiro na região de Itabuna. Aos doze anos, fugiu da escola e, por quase dois meses, atravessou sozinho o sertão, até chegar à fazenda do avô paterno, José Amado, em Itaporanga, no Sergipe. Firmavam-se ali duas características pessoais: o gosto pelas viagens e a visão da vida como uma aventura. Aos treze, o pai o internou no Colégio Ipiranga, onde ele se tornou diretor da revista escolar *A Pátria*. Logo depois, reafirmando o espírito rebelde, dela se afastou para criar *A Folha*, uma revista de oposição. A paixão pela realidade o levou a Salvador, onde, aos quinze anos, se tornou repórter do *Diário da Bahia*. Pouco tempo depois, insatisfeito, transferiu-se para a redação de *O Imparcial*.

A inquietação interna de Jorge se transformou em uma vocação quando, aos dezessete anos de idade, ele conheceu o jornalista e poeta Pinheiro Viegas, líder do grupo literário Academia dos Rebeldes. A academia surgiu, ela também, de uma teimosia: o desejo de combater o grupo modernista baiano Arco & Flecha. Na esperança de afastá-lo dos companheiros de vida literária, o pai, mais uma vez, fez valer sua autoridade e o despachou para o Rio de Janeiro. Jorge se instalou, então, em uma pensão na avenida Nossa Senhora de Copacabana, esquina com a rua Raimundo Correa. Em seu quarto, escreveu, nos intervalos das aulas, o romance que depois Tristão da Cunha descobriria na gaveta de Augusto Frederico Schmidt. O livro foi publicado em setembro de 1931 — mesmo ano em que ele começou a cursar a faculdade de Direito. A primeira edição teve 2 mil exemplares, metade comprada pelo próprio Jorge, para distribuir para amigos.

No prefácio que escreveu para a primeira edição, o poeta Augusto Frederico Schmidt assinala a importância do romance como retrato de uma "geração revoltada", de jovens massacrados pelo mundo que, sem vislumbrar uma saída, oscilavam entre o tédio e o desespero. "O país em que nascemos pesa sobre nós", ele resume, ciente de que a rebeldia de Jorge Amado ultrapassava as circunstâncias individuais e envolvia uma situação nacional. Não era só o efeito de um temperamento, mas o esboço de uma posição política.

Schmidt avalia ainda que o romance tem "graves defeitos". Seria um livro "sem cenários", isto é, direto, sincero — real demais. Essa vivacidade é, porém, a maior força de O país do Carnaval, um clássico romance de formação, que se distingue de tudo o mais que Jorge Amado viria a produzir — a começar por Cacau, seu segundo romance, de 1933. Aos personagens, em particular ao grupo de amigos que centraliza o livro — Paulo Rigger, Pedro Ticiano, Ricardo Braz, Jerônimo Soares e José Lopes —, falta, por certo, um acabamento clássico, na linha da literatura psicológica. Mais que sujeitos, eles são instrumentos que servem ao jovem Jorge para expressar o conflito de ideias em que naquele momento se afogava.

Rigger e seus amigos são mais vozes que personagens. "Este livro é um grito. Quase um pedido de socorro", admitiu, muitos anos depois, o próprio Jorge Amado. Asfixiados por um "país incompreensível", como Rigger o descreve, os cinco amigos procuram, cada um a seu modo, uma saída. Buscam um sentido que organize suas vidas, um ideal que lhes pavimente o futuro. O romance trata, na verdade, do áspero choque entre os ideais e a realidade que marca o início da maturidade. Mais que um romance de formação, é um "romance de deformação", no qual Jorge se desvia da educação que recebeu da família e das expectativas paternas para se afirmar como sujeito.

Quando volta de Paris, onde viveu durante sete anos, Paulo Rigger traz consigo uma forte indiferença pelo presente. O pai o enviou à França (assim como o coronel João Amado enviou Jorge ao Rio) na esperança de que se tornasse bacharel. Que se tornasse um "homem-feito". Na Europa, porém, ele viveu mais para os prazeres da carne do que para os estudos. Recebeu o diploma, mas não se casou com a profissão de advogado. Com vinte e seis anos de idade, de volta à Bahia, é um tipo *blasé* — insatisfeito, cerebral, um "espectador da vida", que tem pelos instintos uma "quase adoração". É, também, um homem que já não acredita na felicidade.

O romance relata seu esforço de se readaptar a um país que não consegue compreender e para conviver com o próprio desencanto. Um país que, ao contrário dele, luta para nascer. Diante das ambiguidades que definem o mundo real, os protagonistas de *O país do Carnaval* tomam posições diversas, todas igualmente fracassadas. O jornalista A. Gomes, por exemplo, se dedica a acumular vantagens pessoais e a enriquecer. Já o poeta piauiense Ricardo Braz acredita na salvação através do amor e pelo casamento. O mais estranho deles, José Lopes, busca um sentido na literatura e na filosofia. Ingênuo e sem vaidades, Jerônimo Soares, o mais apagado dos amigos, procura a felicidade na relação com uma prostituta. Mestre do grupo, Pedro Ticiano critica os amigos porque "sofrem da necessidade de ser feliz". Vê-los fracassar reforça sua convicção de que "vivemos por viver" e que a ideia da felicidade, em vez de empurrar o homem para a frente, bloqueia seu caminho. Na luta pela felicidade, ele defende a abdicação da felicidade.

Cada um com suas armas, os rapazes lutam contra a dúvida e combatem a atitude cética de Pedro Ticiano. Estão, todos, em uma situação de "pré-engajamento", que por fim aborta. Enquanto Jorge Amado sai de *O país do Carnaval* para escrever o panfletário *Cacau* e se tornar, assim, o "escritor proletário" que planejava ser — para realizar, enfim, um sonho —, seus personagens atolam na impotência e na apatia. Dão razão, enfim, a Ticiano, que morre sozinho com sua dor. Apesar das desconfianças posteriores do próprio Jorge Amado em relação a seu livro, *O país do Carnaval* traça um doloroso e complexo retrato do Brasil da primeira metade do século. Desenha, com delicadeza, um perfil dos impasses e paradoxos que, nos anos 30, impedem nossa afirmação como nação. Encruzilhada que, na literatura, os regionalistas de 30, entre eles (não é exagero incluí--lo) o próprio Amado, conseguirão enfrentar e de alguma forma resolver. O romance expõe, ainda, a dívida de Jorge Amado com o jornalismo. Compõe um retrato direto da realidade, aposta na clareza e na verossimilhança e se desenrola de forma cronológica e linear — repetindo o modelo clássico das reportagens. Ultrapassa, ainda, os limites e provocações do modernismo e faz uma aposta firme no retorno ao realismo social — escolha que, mais tarde, será chamada de "neorrealista".

Antes de *O país do Carnaval*, Jorge Amado escreveu a seis mãos — com Oswaldo Dias da Costa e Edison Carneiro — seu primeiro exercício literário, assinado sob o pseudônimo coletivo de Y. Karl. Resultou na novela "Lenita", publicada em 1929 nas páginas de *O Jornal*, narrativa que o crítico literário Medeiros de Albuquerque definiu, sem piedade, como "pura abominação". O próprio Amado, depois, não poupou seu livro: "Um único subliterato não poderia tê-lo feito tão ruim, foi necessário que se juntassem três", escreveu.

O mesmo Medeiros de Albuquerque, contudo, foi o primeiro a festejar *O país do Carnaval*, que recebeu elogios enfáticos, ainda, de dois outros grandes críticos da época, João Ribeiro e o sempre ácido Agripino Grieco. Estimulado, Amado se dedicou imediatamente a um novo livro, *Rui Barbosa número 2* — que ele próprio definiu, mais tarde, como um romance "escrito na mesma linha romanesca da influência europeia, debate intelectual de ideias [sic], bobageira". Levou os originais ao escritor Gastão Cruls, que terminara de fundar a editora Ariel. Para descansar a mente, resolveu dedicar grande parte do ano de 1932 ao recolhimento e à leitura. Chegou, então, aos livros que mudariam sua vida e que ajudaram a formar o Jorge Amado que hoje conhecemos. Leu *A bagaceira*, romance que o paraibano José Américo de Almeida publicou em 1928, inspirado nos sofrimentos dos retirantes durante a seca de 1898. Leu *Menino de engenho*, que outro paraibano, José Lins do Rego, acabava de lançar, inspirado em sua infância no engenho Santa Rosa. Leu, ainda, *A cavalaria vermelha*, do russo Isaac Bábel, e *A torrente de ferro*, do russo Aleksandr Serafimóvitch. Atordoado com as descobertas, pediu de volta a Gastão Cruls os originais de *Rui Barbosa número 2* e, sem pensar duas vezes, os destruiu. A leitura dos regionalistas nordestinos e dos russos o levou a escrever *Cacau*, romance maniqueísta, é verdade, mas no qual Amado encontra, enfim, seu caminho. Disse mais tarde: "Lendo *A bagaceira* virei escritor brasileiro, lendo os russos desejei ser romancista proletário".

Nunca saberemos se teve razão, ou não, em destruir *Rui Barbosa número 2*. Tudo o que podemos dizer, hoje, é que *O país do Carnaval* destoa, de fato, de toda sua obra posterior. A influência dos debates filosóficos europeus é evidente. A estrutura irregular e a inconsistência dos personagens, também. Tudo isso, porém, torna o romance ainda mais vivo e surpreendente. Primeiro porque carrega grande parte dos elementos que o jovem Jorge Amado precisou "matar" para chegar a si. Mais que isso: o romance expõe os fundamentos secretos sobre os quais se ergueu seu projeto de uma literatura nacional e social, inaugurado por *Cacau*.

Talvez *O país do Carnaval* possa ser lido como uma síntese do que Jorge Amado se viu obrigado a "devorar" para chegar a si. Não parece ter sido um simples acaso que tenha encontrado, na mesma gaveta do editor Schmidt, os originais de *Caetés*, de Graciliano Ramos. A leitura do romance não o levou só a Palmeira dos Índios: conduziu-o à escrita mais seca, substantiva e fotográfica que praticaria a partir de então. Deu outra guinada, ainda mais importante, em 1958, com *Gabriela, cravo e canela*, romance que inaugura uma escrita sensualista e colorida, que selou sua definitiva consagração internacional. Mas a ruptura que experimentou entre *O país do Car-*

naval e *Cacau* é crucial em sua formação — ou "deformação". Entre os dois livros, *Rui Barbosa número 2* ficou como um elo perdido. Lendo os regionalistas e os russos, ele aprendeu que, na literatura, os fatos são mais importantes que as ideias. Abandonou a literatura "de pensamento" e se voltou para uma literatura "da vida".

Não custa lembrar que Graciliano Ramos tomou o título de seu primeiro romance de empréstimo aos índios caetés que, no ano de 1556, no litoral de Alagoas, devoraram d. Pero Fernandes Sardinha, o primeiro bispo do Brasil. Depois de renunciar ao posto eclesiástico, o autoritário Sardinha retornava a Lisboa quando seu navio naufragou na costa alagoana. Os índios caetés aprisionaram passageiros e tripulantes, que foram amarrados a árvores, trucidados e devorados. Ao dar a seu livro o nome da tribo canibal, Graciliano enfatizava os aspectos dramáticos inerentes à paixão. Para que Luísa fique com Adrião, é preciso que o traído João Valério enlouqueça de ciúmes e se mate.

Também Jorge Amado teve que matar alguma coisa para chegar ao projeto de uma "literatura proletária". Podemos cogitar que, de certo modo, ele a fez "contra" Pedro Ticiano, o grande mestre dos anti-heróis de seu primeiro romance. Contudo, já em *O país do Carnaval* a literatura de Jorge Amado se caracteriza por um vínculo firme entre a literatura e a realidade. É verdade que, neste primeiro romance, Jorge ainda não sabe que destino dar ao mundo real. Desde cedo, porém, via a literatura como um instrumento para redesenhar o Brasil. *O país do Carnaval* guarda seus primeiros movimentos, ainda vacilantes e impotentes, nessa direção. Ao fazer sua escolha, Amado seguiu, a seu modo, os conselhos dados, muitos anos antes, por Wolfgang Goethe aos jovens poetas: "Vocês ainda não têm propriamente nenhuma norma. E devem dá-la a si mesmos. Perguntem-se a cada poema se ele contém uma vivência, e se tal vivência os fez progredir".

A figura cética de Pedro Ticiano encarna tudo aquilo — a formação europeia, o desencanto, o menosprezo pela ação — que Jorge

Amado teve de vencer em si para se tornar o escritor que é. Só depois de ultrapassá-la, Jorge pôde chegar à "vivência" sugerida por Goethe. Com *Cacau*, ele se engajou, enfim, na grande corrente da História. "Sou de uma geração que vem da Revolução de 30 que, além de ser um levantamento militar, foi também um movimento popular", Amado descreveu, nos anos 80, ao jornalista espanhol Antonio Maura. Via-se também como descendente, embora não seguidor, do Modernismo de 22. "É uma geração que se sintonizou com o problema da terra e com a formação de nosso país." A questão agrária ainda não está presente em *O país do Carnaval*, livro essencialmente urbano e introspectivo. Mas a pergunta a respeito do Brasil, sim.

Seu primeiro romance é, em resumo, um amálgama das perguntas que o formaram como escritor. Uma espécie de rascunho do próprio Jorge Amado. Todo escritor escreve a partir das perguntas que consegue formular. *O país do Carnaval* não pode ser comparado aos clássicos do romance de formação, como *Os anos de aprendizagem de Wilhelm Meister*, de Goethe, *Retrato do artista quando jovem*, de James Joyce, *O apanhador no campo de centeio*, de J. D. Salinger, ou *O encontro marcado*, de Fernando Sabino. Nele as imperfeições e as insuficiências estão expostas de modo mais sincero e escandaloso. "Os defeitos deste livro são a minha maior honra", Jorge disse, um dia. Estava certo. Ler *O país do Carnaval* é viajar pelas camadas secretas e pelos subterrâneos profundos sobre os quais a grande literatura de Jorge Amado se ergueu. É fazer uma viagem através de sua alma. Com *O país do Carnaval*, o jovem Jorge se desviou, de vez, do destino que a família lhe traçou. Estava, enfim, pronto para ser.

José Castello é escritor e crítico literário. Trabalhou em vários órgãos de imprensa, como *O Estado de S. Paulo* e *Jornal do Brasil*.

cronologia

O país do Carnaval se passa entre as décadas de 1910 e 1930. O narrador menciona a participação de Rui Barbosa na II Conferência Internacional da Paz, em 1907, e o golpe de Estado de Getúlio Vargas, em 1930, que pôs fim à República Velha. O protagonista Paulo Rigger oferece mais algumas pistas sobre o contexto: inspirado em Paulo Prado (1869-1943), ambos têm em comum o diploma de direito obtido na Europa, a família de ricos cafeicultores e a visão pessimista sobre o futuro da nação.

1912-1919

Jorge Amado nasce em 10 de agosto de 1912, em Itabuna, Bahia. Em 1914, seus pais transferem-se para Ilhéus, onde ele estuda as primeiras letras. Entre 1914 e 1918, trava-se na Europa a Primeira Guerra Mundial. Em 1917, eclode na Rússia a revolução que levaria os comunistas, liderados por Lênin, ao poder.

1920-1925

A Semana de Arte Moderna, em 1922, reúne em São Paulo artistas como Heitor Villa-Lobos, Tarsila do Amaral, Mário e Oswald de Andrade. No mesmo ano, Benito Mussolini é chamado a formar governo na Itália. Na Bahia, em 1923, Jorge Amado escreve uma redação escolar intitulada "O mar"; impressionado, seu professor, o padre Luiz Gonzaga Cabral, passa a lhe emprestar livros de autores portugueses e também de Jonathan Swift, Charles Dickens e Walter Scott. Em 1925, Jorge Amado foge do colégio interno Antônio Vieira, em Salvador, e percorre o sertão baiano rumo à casa do avô paterno, em Sergipe, onde passa "dois meses de maravilhosa vagabundagem".

1926-1930

Em 1926, o Congresso Regionalista, encabeçado por Gilberto Freyre, condena o modernismo paulista por "imitar inovações estrangeiras". Em 1927, ainda aluno do Ginásio Ipiranga, em Salvador, Jorge Amado começa a trabalhar como repórter policial para o *Diário da Bahia* e *O Imparcial* e publica em *A Luva*, revista de Salvador, o texto "Poema ou prosa". Em 1928, José Américo de Almeida lança *A bagaceira*, marco da ficção regionalista do Nordeste, um livro no qual, segundo Jorge Amado, se "falava da realidade rural como ninguém fizera antes". Jorge Amado integra a Academia dos Rebeldes, grupo a favor de "uma arte moderna sem ser modernista". A quebra da bolsa de valores de Nova York, em 1929, catalisa o declínio do ciclo do café no Brasil. Ainda em 1929, Jorge Amado, sob o pseudônimo Y. Karl, publica em *O Jornal* a novela *Lenita*, escrita em parceria com Edison Carneiro e Dias da Costa. O Brasil vê chegar ao fim a política do café com leite, que alternava na presidência da República políticos de São Paulo e Minas Gerais: a Revolução de 1930 destitui Washington Luís e nomeia Getúlio Vargas presidente.

1931-1935

Em 1932, desata-se em São Paulo a Revolução Constitucionalista. Em 1933, Adolf Hitler assume o poder na Alemanha, e Franklin Delano Roosevelt torna-se presidente dos Estados Unidos da América, cargo para o qual seria reeleito em 1936, 1940 e 1944. Ainda em 1933, Jorge Amado se casa com Matilde Garcia Rosa. Em 1934, Getúlio Vargas é eleito por voto indireto presidente da República. De 1931 a 1935, Jorge Amado frequenta a Faculdade Nacional de Direito, no Rio de Janeiro; formado, nunca exercerá a advocacia. Amado identifica-se com o Movimento de 30, do qual faziam parte José Américo de Almeida, Rachel de Queiroz e Graciliano Ramos, entre outros escritores preocupados com questões sociais e com a valorização de particularidades regionais. Em 1933, Gilberto Freyre publica *Casa-grande & senzala*, que marca profundamente a visão de mundo de Jorge Amado. O romancista baiano publica seus primeiros livros: *O país do Carnaval* (1931), *Cacau* (1933) e *Suor* (1934). Em 1935 nasce sua filha Eulália Dalila.

1936-1940

Em 1936, militares rebelam-se contra o governo republicano espanhol e dão início, sob o comando de Francisco Franco, a uma guerra civil que se alongará até 1939. Jorge Amado enfrenta problemas por sua filiação ao Partido Comunista Brasileiro.

São dessa época seus livros *Jubiabá* (1935), *Mar morto* (1936) e *Capitães da Areia* (1937). É preso em 1936, acusado de ter participado, um ano antes, da Intentona Comunista, e novamente em 1937, após a instalação do Estado Novo. Em Salvador, seus livros são queimados em praça pública. Em setembro de 1939, as tropas alemãs invadem a Polônia e tem início a Segunda Guerra Mundial. Em 1940, Paris é ocupada pelo exército alemão. No mesmo ano, Winston Churchill torna-se primeiro-ministro da Grã-Bretanha.

1941-1945

Em 1941, em pleno Estado Novo, Jorge Amado viaja à Argentina e ao Uruguai, onde pesquisa a vida de Luís Carlos Prestes, para escrever a biografia publicada em Buenos Aires, em 1942, sob o título *A vida de Luís Carlos Prestes*, rebatizada mais tarde *O cavaleiro da esperança*. De volta ao Brasil, é preso pela terceira vez e enviado a Salvador, sob vigilância. Em junho de 1941, os alemães invadem a União Soviética. Em dezembro, os japoneses bombardeiam a base norte-americana de Pearl Harbor, e os Estados Unidos declaram guerra aos países do Eixo. Em 1942, o Brasil entra na Segunda Guerra Mundial, ao lado dos aliados. Jorge Amado colabora na *Folha da Manhã*, de São Paulo, torna-se chefe de redação do diário *Hoje*, do PCB, e secretário do Instituto Cultural Brasil-União Soviética. No final desse mesmo ano, volta a colaborar em *O Imparcial*, assinando a coluna "Hora da Guerra", e em 1943 publica, após seis anos de proibição de suas obras, *Terras do sem-fim*. Em 1944, Jorge Amado lança *São Jorge dos Ilhéus*. Separa-se de Matilde Garcia Rosa. Chegam ao fim, em 1945, a Segunda Guerra Mundial e o Estado Novo, com a deposição de Getúlio Vargas. Nesse mesmo ano, Jorge Amado casa-se com a paulistana Zélia Gattai, é eleito deputado federal pelo PCB e publica o guia *Bahia de Todos-os-Santos*. *Terras do sem-fim* é publicado pela editora de Alfred A. Knopf, em Nova York, selando o início de uma amizade com a família Knopf que projetaria sua obra no mundo todo.

1946-1950

Em 1946, Jorge Amado publica *Seara vermelha*. Como deputado, propõe leis que asseguram a liberdade de culto religioso e fortalecem os direitos autorais. Em 1947, seu mandato de deputado é cassado, pouco depois de o PCB ser posto na ilegalidade. No mesmo ano, nasce no Rio de Janeiro João Jorge, o primeiro filho com Zélia Gattai. Em 1948, devido à perseguição política, Jorge Amado exila-se, sozinho, voluntariamente em Paris. Sua casa no Rio de Janeiro é invadida pela polícia, que apreende livros, fotos e documentos. Zélia e João Jorge partem para a Europa, a fim de se juntar ao escritor. Em 1950, morre no Rio de Janeiro a filha

mais velha de Jorge Amado, Eulália Dalila. No mesmo ano, Amado e sua família são expulsos da França por causa de sua militância política e passam a residir no castelo da União dos Escritores, na Tchecoslováquia. Viajam pela União Soviética e pela Europa Central, estreitando laços com os regimes socialistas.

1951-1955

Em 1951, Getúlio Vargas volta à presidência, desta vez por eleições diretas. No mesmo ano, Jorge Amado recebe o prêmio Stálin, em Moscou. Nasce sua filha Paloma, em Praga. Em 1952, Jorge Amado volta ao Brasil, fixando-se no Rio de Janeiro. O escritor e seus livros são proibidos de entrar nos Estados Unidos durante o período do macarthismo. Em 1954, Getúlio Vargas se suicida. No mesmo ano, Jorge Amado é eleito presidente da Associação Brasileira de Escritores e publica *Os subterrâneos da liberdade*. Afasta-se da militância comunista.

1956-1960

Em 1956, Juscelino Kubitschek assume a presidência da República. Em fevereiro, Nikita Khruchióv denuncia Stálin no 20º Congresso do Partido Comunista da União Soviética. Jorge Amado se desliga do PCB. Em 1957, a União Soviética lança ao espaço o primeiro satélite artificial, o *Sputnik*. Surge, na música popular, a Bossa Nova, com João Gilberto, Nara Leão, Antonio Carlos Jobim e Vinicius de Moraes. A publicação de *Gabriela, cravo e canela*, em 1958, rende vários prêmios ao escritor. O romance inaugura uma nova fase na obra de Jorge Amado, pautada pela discussão da mestiçagem e do sincretismo. Em 1959, começa a Guerra do Vietnã. Jorge Amado recebe o título de obá Arolu no Axé Opô Afonjá. Embora fosse um "materialista convicto", admirava o candomblé, que considerava uma religião "alegre e sem pecado". Em 1960, inaugura-se a nova capital federal, Brasília.

1961-1965

Em 1961, Jânio Quadros assume a presidência do Brasil, mas renuncia em agosto, sendo sucedido por João Goulart. Yuri Gagarin realiza na nave espacial *Vostok* o primeiro voo orbital tripulado em torno da Terra. Jorge Amado vende os direitos de filmagem de *Gabriela, cravo e canela* para a Metro-Goldwyn-Mayer, o que lhe permite construir a casa do Rio Vermelho, em Salvador, onde residirá com a família de 1963 até sua morte. Ainda em 1961, é eleito para a cadeira 23 da Academia Brasileira de Letras. No mesmo ano, publica *Os velhos marinheiros*, composto pela novela *A morte e a morte de Quincas Berro Dágua* e pelo romance *O capitão-de-longo-curso*. Em 1963, o presidente dos Estados Unidos, John Kennedy, é assassinado. O Cinema Novo retrata a realidade nordestina em filmes como *Vidas secas* (1963), de Nelson Pereira dos Santos, e *Deus e o diabo na terra do sol* (1964), de Glauber Rocha. Em 1964, João Goulart é destituído por um golpe e Humberto Castelo Branco assume a presidência da República, dando início a uma ditadura militar que irá durar duas décadas. No mesmo ano, Jorge Amado publica *Os pastores da noite*.

1966-1970

Em 1968, o Ato Institucional nº 5 restringe as liberdades civis e a vida política. Em Paris, estudantes e jovens operários levantam-se nas ruas sob o lema "É proibido proibir!". Na Bahia, floresce, na música popular, o tropicalismo, encabeçado por Caetano Veloso, Gilberto Gil, Torquato Neto e Tom Zé. Em 1966, Jorge Amado publica *Dona Flor e seus dois maridos* e, em 1969, *Tenda dos Milagres*. Nesse último ano, o astronauta norte-americano Neil Armstrong torna-se o primeiro homem a pisar na Lua.

1971-1975

Em 1971, Jorge Amado é convidado a acompanhar um curso sobre sua obra na Universidade da Pensilvânia, nos Estados Unidos. Em 1972, publica *Tereza Batista cansada de guerra* e é homenageado pela Escola de Samba Lins Imperial, de São Paulo, que desfila com o tema "Bahia de

Jorge Amado". Em 1973, a rápida subida do preço do petróleo abala a economia mundial. Em 1975, *Gabriela, cravo e canela* inspira novela da TV Globo, com Sônia Braga no papel principal, e estreia o filme *Os pastores da noite*, dirigido por Marcel Camus.

1976-1980

Em 1977, Jorge Amado recebe o título de sócio benemérito do Afoxé Filhos de Gandhy, em Salvador. Nesse mesmo ano, estreia o filme de Nelson Pereira dos Santos inspirado em *Tenda dos Milagres*. Em 1978, o presidente Ernesto Geisel anula o AI-5 e reinstaura o *habeas corpus*. Em 1979, o presidente João Baptista Figueiredo anistia os presos e exilados políticos e restabelece o pluripartidarismo. Ainda em 1979, estreia o longa-metragem *Dona Flor e seus dois maridos*, dirigido por Bruno Barreto. São dessa época os livros *Tieta do Agreste* (1977), *Farda, fardão, camisola de dormir* (1979) e *O gato malhado e a andorinha Sinhá* (1976), escrito em 1948, em Paris, como um presente para o filho.

1981-1985

A partir de 1983, Jorge Amado e Zélia Gattai passam a morar uma parte do ano em Paris e outra no Brasil — o outono parisiense é a estação do ano preferida por Jorge Amado, e, na Bahia, ele não consegue mais encontrar a tranquilidade de que necessita para escrever. Cresce no Brasil o movimento das Diretas Já. Em 1984, Jorge Amado publica *Tocaia Grande*. Em 1985, Tancredo Neves é eleito presidente do Brasil, por votação indireta, mas morre antes de tomar posse. Assume a presidência José Sarney.

1986-1990

Em 1987, é inaugurada em Salvador a Fundação Casa de Jorge Amado, marcando o início de uma grande reforma do Pelourinho. Em 1988, a Escola de Samba Vai-Vai é campeã do Carnaval, em São Paulo, com o enredo "Amado Jorge: A história de uma raça brasileira". No mesmo ano, é promulgada nova Constituição brasileira. Jorge Amado publica *O sumiço da santa*. Em 1989, cai o Muro de Berlim.

1991-1995

Em 1992, Fernando Collor de Mello, o primeiro presidente eleito por voto direto depois de 1964, renuncia ao cargo durante um processo de *impeachment*. Itamar Franco assume a presidência. No mesmo ano, dissolve-se a União Soviética. Jorge Amado preside o 14º Festival Cultural de Asylah, no Marrocos, intitulado "Mestiçagem, o exemplo do Brasil", e participa do Fórum Mundial das Artes, em Veneza. Em 1992, lança dois livros: *Navegação de cabotagem* e *A descoberta da América pelos turcos*. Em 1994, depois de vencer as Copas de 1958, 1962 e 1970, o Brasil é tetracampeão de futebol. Em 1995,

Fernando Henrique Cardoso assume a presidência da República, para a qual seria reeleito em 1998. No mesmo ano, Jorge Amado recebe o prêmio Camões.

1996-2000
Em 1996, alguns anos depois de um enfarte e da perda da visão central, Jorge Amado sofre um edema pulmonar em Paris. Em 1998, é o convidado de honra do 18º Salão do Livro de Paris, cujo tema é o Brasil, e recebe o título de doutor *honoris causa* da Sorbonne Nouvelle e da Universidade Moderna de Lisboa. Em Salvador, termina a fase principal de restauração do Pelourinho, cujas praças e largos recebem nomes de personagens de Jorge Amado.

2001
Após sucessivas internações, Jorge Amado morre em 6 de agosto de 2001.

Jorge Amado retratado por
Leopoldo Mendez (1902-69),
em 1948

Jorge Amado (de pé, o primeiro à esquerda) fazia parte da diretoria do Grêmio Literário Barão de Rio Branco, no Colégio Ypiranga, em Salvador, 1926

Frontispício da novela *Lenita*, escrita em 1929, e publicada em folhetim em *O Jornal de Salvador* (1929) e como parte de um volume editado por Coelho Branco Filho (1930)

Artigo de Marques Rebello sobre o livro de Jorge Amado. *Boletim de Ariel*, janeiro de 1932

"O Paiz do Carnaval"

Cousa bem sabida, repito aqui: a caracteristica da geração que surge é o maximo desprezo pela litteratura, litteratura no sentido pejorativo que actualmente se emprega.

Jorge Amado, em *O Paiz do Carnaval*, que Schmidt-editor publicou, não foge a esta nitida caracteristica, pois todo seu romance é um combate constante aos typos artificialmente intellectuaes que acreditam na acção como consequente da cultura livresca (a peor, quasi sempre sentimental, não raro mystificante) e de attitudes poeticas.

Raros são os seus personagens que fogem a esta definição e, quando assim, exactamente para, pelo confronto, caracterizar mais aquelles. E medroso da comprehensão clara do seu thema, pois que *O Paiz do Carnaval* é livro premeditado, bota na boca de Ruth, personagem que quer viver uma vida verdadeira e normal com a tranquillidade dum casamento burguez, a explicação daquelles typos fracassados pelo excesso de pesquisa: — "Isto tudo é litteratura!"

Paulo Rigger, José Lopes, Ricardo Bias fingem ignorar a vida, saturados que estão daquillo que os livros trazem. Peor que todos o primeiro. Vem da França, requintado, extranhando o ambiente brasileiro e, desembarcando no Rio pelo Carnaval, não comprehende toda a poesia util desta festa que faz a melancolia sahir sambando pela cidade. Desconhecedor do seu povo e da sua terra, forja programmas que aqui não poderiam ser levados avante. Destróe com phrases a sociedade que não acceitou os seus traçados, esquecendo-se que terra inculta é ainda a nossa para se interessar por problemas de maior alcance. Tudo faz crêr que Paulo Rigger, que tivera noções de cultura, não tinha a comprehensão da cultura. E debate em phrases, nunca em acções, no grupo indigena que encontrou e a que se aggregou, isto já na Bahia, seu estado natal, para onde se fôra a vêr a familia em companhia duma franceza de carregação. Elles se combatem dolorosamente em todas as paginas do livro na procura duma finalidade. Amôr, religião (que é uma fórma do amor), instincto? Elles não atinam. Procuram resolver estes problemas tão complexos nas mesas dos cafés, na redacção de um jornal rebelde. Rebelde pela ignorancia do proprietario- que os convidara para redactores e que depois se sentia lesado nos interesses economicos com as descomposturas que do "seu" jornal elles, honestos no fundo, passavam nos figurões ôcos e brilhantes da cidade, e que pela posição politica ou financeira poderiam auxilial-o mais positivamente.

Ticiano é o genio do mal, homem que estava faltando nos romances de agora e que era tão commum nos romances wildeanos, personagem cynica e sympathica de cuja boca choveu os paradoxos que enthusiasmam as multidões leitoras. E' cousa de rifão: ha palavras que envenenam. A bocca de Pedro Ticiano é um vidro de strychnina. Se ella em doses pequenas tem effeitos curativos (e o leitor intelligente já percebe que eu estou fallando da Verdade), em doses como as que o sceptico nos joga matam a quarenta jardas, qual o celebre whisky dum conto de Bret Harte. Como o romance apezar de real não é humano, os personagens podem aguentar tudo e aguentam a strychnina abundante até à morte de Ticiano. Esta é que é o antidoto. Dahi algum personagem se salvar, vendo-se longe do verbo do velho que tudo negava e destruia. Jeronymo, o salvado, é personagem mais sympathico do livro e, com Ruth e Maria de Lourdes, forma a trinca humana do romance.

Romance admiravel, romance no sentido que se exige, por necessidade, falta-lhe, todavia, a acção. Tudo acontece na bocca dos personagens e tudo vem através de dialogos firmes e rapidos, na maioria das vezes, cheios de graça natural e verdadeira, graça da giria, da blague, da rua.

Não me choca achar-lhe falta de acção e adjectivar o romance de admiravel. Acção pressupõe quasi sempre dotes de observação, que o tempo traz mais que tudo (Jorge Amado tem vinte annos) e mais do que isto é producto duma tendencia pessoal e increavel para a anecdota, para o desenrolar de scenas, umas obrigando outras, o enredo, emfim. O detalhe é a alma dos romances deste genero, E é a noção do detalhe que falta em Jorge Amado. Elle vê tudo em ponto grande. Dahi se imaginar o esforço para conseguir caracterizar os seus typos sem o auxilio das circumstancias. E consegue.

A crise religiosa que assola o paiz e que vira a cabeça das creaturas mais sensatas, o perigo communista que, segundo consagrados ensaistas, faz com que o Brasil seja um vulcão vermelho onde os incautos burguezes habitam, tudo isto não deveria deixar de apparecer no *Paiz do Carnaval* em forma de dialogos deliciosos com que o loquaz Ticiano estarrece a admiração dos seus ouvintes.

Ticiano é o vento que faz vibrar aquelles papa-ventos. E a sua morte deixa-os mais desorientados ainda. Alguns enfiam-se por veredas que acreditam caminhos, e o romancista fecha o romance antes que possamos vel-os cahir completamente.

Ricardo Braz, que casara por amor e fugira para o Piauhy (tudo se passa no Norte, raras scenas no Rio), não se cura com os ares palermas, mas saudaveis, da cidadezinha esquecida, da intoxicação violenta e perniciosa, negativa e demolidora, e Ruth, sua esposa, que mereceria viver, é que vae soffrer, soffrimento que o romancista nos dispensa piedosamente, pudorosamente.

Paulo Rigger, lubrico, gastador de amantes francezas e nacionaes, perdido pela carne, escravo dos instinctos, trazendo da velha Europa requintes sensuaes para a terra em que a obscenidade pouco differe da virtude, homem que se acreditava liberto, cáe preso dos preconceitos (elle achava que se devia acabar com isto...) e perde uma mulher que talvez lhe fosse a unica salvação, por sabel- a desvirginizada.

Maria de Lourdes encontra num modesto professor publico a superioridade do esquecimento e a tranquillidade de um lar.

E' este Paulo Rigger, incongruente, insatisfeito e rico, que, tentando num ultimo instante do livro se salvar, volta-se para Deus, pede serenidade e foge para sempre do *Paiz do Carnaval* que como na sua chega da se esquecia lyricamente entre cavaquinhos e pandeiros.

Inquieto, soffrendo pelo mal dos seus personagens, Jorge Amado, no melhor romance do anno, é um grito de alarma aos que, fugindo da vida, por medo ou por duvida, se inutilizam sem remedio.

MARQUES REBELLO.

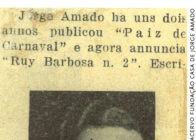

Jorge Amado, cujo "cliché" ilustra esta pagina, é o admiravel novelista d'«O Paiz do Carnaval,» o cronista perfeito e o panfletário temido, que, mesmo do Rio de Janeiro, continua a nos distinguir com a sua colaboração.

Prosador fascinante, o seu modo de escrever, pelo imprevisto da frase, e pela ironia que o caracterisa, lembra, por vezes, uma "charge" de Gavarni que trouxesse uma legenda de Rivarol.

Nota sobre o livro logo após a estreia literária de Jorge Amado. Salvador, O Momento, 1932

J rge Amado ha uns dois annos publicou "Paiz de Carnaval" e agora annuncia "Ruy Barbosa n. 2". Escri-

Jorge Amado

ptor apreciado, recebido pela critica com os maiores applausos, Jorge Amado con a proxima edição desse romance interessantissimo que annuncia, firmará seu nome de escriptor da nova geração.

O Malho anuncia, em 1932, outro romance do autor, que não chegou a ser publicado

Photographia tirada em 5 de Março de 1931
Não é valido o retrato que não tiver o carimbo do Gabinete

POLLEGAR DIREITO

Carteira n.º 185996 Registro n.º 311680

A presente carteira de identidade pertence a
Jorge Amado
Profissão *estudante*
Côr *branca* Cabellos *castanhos*
Barba *raspada* Bigodes *raspados*
Olhos *castanhos* Altura 1 m. *66*

Observações

Districto Federal _____ de 193_

Director

Ilustração de Darcy Penteado
para a edição ilustrada da Livraria
Martins Editora, de 1963

Na comemoração dos trinta anos de *O país do Carnaval*, Jorge Amado discursa na Câmara de Vereadores de Salvador, em 1961

Na mesma ocasião, ao lado de seu novo editor, José de Barros Martins (à esquerda), da Martins Editora, e do governador baiano Juracy Magalhães

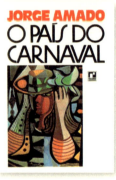

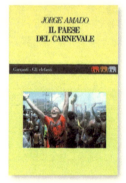

A primeira edição do livro foi lançada em 1931 pela editora Schmidt, com tiragem de mil exemplares. A partir da década de 1970, a capa trazia uma obra de Di Cavalcanti

O romance logo atravessou as fronteiras do país. Foi editado na Itália, em Portugal, na Argentina e na França